人類学的観察のすすめ

物質・モノ・世界

古谷嘉章
Furuya Yoshiaki

古小烏舎

人類学的観察のすすめ◉目次

はじめに

第七章　千変万化・生生流転 207

1 フラットランド――二次元世界の住民

「金縛り」というのは恐ろしい。私自身、若い頃に何度か経験したことがある。夜半にふと目が覚めて、部屋の空間は見えているのに自分の体がペチャンコで身動きができない。冷汗が出るような苦しい体験だったことを覚えている。これは三次元空間のなかで二次元つまり平面に閉じ込められていることによる恐怖だ。しかし仮に私たちが二次元世界に住んでいて、三次元の空間を見ることができず、そもそもその存在を知らないなら、ペチャンコであるのは当り前のことで、それを苦痛とも悲劇とも思わないだろう。

二次元世界の住民の生活をイメージするのは容易ではないが、絶好の本がある。一八八四年にイギリスで書かれた小説『フラットランド』である。そこでは、男性は平面図形で、円形の聖職者階級を筆頭に、中産階級である正多角形が辺の数に応じて序列を成し、最下層には兵士や労働者である二等辺三角形がいる。他方、女性は階級にかかわりなく直線（というか線分）である。空間というものが存在せず、平面が世界のすべてであるフラットランド人は、平面図形を上から見ることはできない。ではお互いにどのように認識できるのか、住居はどうなっているのかなど、彼らの生活の詳細については原書に当たってもらうしかない。

実はこの物語の舞台はフラットランドだけではない。正方形の体をもつ数学者である主人公が、ラインランドつまり直線しか存在しない一次元の国を夢の中で体験する。さらに三次元から来た球体の導きで、スペースランドつまり三次元の国を訪問する。主人公は、そこからフラットランドを見て驚愕し、二次元世界を三次元から見下ろすように、三次元の世界を見下ろせる四次元の世界もあるのかと、球体に教えを乞う。自分もわからないことを尋ねられた師匠は、四次元世界の存在を暗示するような現象の報告がないわけではないが、「事実かどうか、人々の見解は分かれている」と言葉を濁す。フラットランドの人間の想像を超えたスペースランドが実在するように、スペースランドの住民つまり私たちが想像もできないような「??ランド」という高次元の世界が存在するのか。存在するとしたら、それはどのようなものなのか。私も知りたい。

だが本書のテーマは次元ではない、というか、次元だけではない。次元とは何か、多次元とは何か、といった問題については、たとえば『次元とはなにか』のような手頃な概説書をはじめ多くの本がある。門外漢の私がしゃしゃり出るまでもない。では本書で試みたいのは何か。それは、ラインランドやスペースランドが存在することを知って眼から鱗が落ちて、自分の住むフラットランドについての見方が根底から変わってしまった正方形の数学者のように、私たちの生きている世界は、私たちが「こういうものだ」と思い込んでいるようなもの（だけ）とは限らないということに気づくエクササイズである。私たちが当然視している「この世界」は、幼児のようにしゃがみこんで眺めてみたり、焦点距離を変えてみたり、斜めから見てみたり、要するに、毎日を忙しく生きる訳知り顔の大人とは違った見方をしてみると、思ったほど「当り前」ではなく、突然ちがった容貌を露わにしたり、驚愕すべき別の光景を開示するかもしれない。一言でいえば「シュールでリアルなこの世界」。それを探究してみたいのである。

　私が専門とする文化人類学という学問は、慣れ親しんでいるのとは別の世界に赴いて現地《フィールド》調査《ワーク》を行い、そこでの見聞をホームに戻って来て報告する。しかし実は、それではまだ道半ばである。本当の目的は、「私たちの世界」もまた、自分が慣れ親しんでいるので特別だと思いがちだが、実はひとつの摩訶不思議な別世界であることに気付くことである。そのために本書では、遠くの社会に赴かないわけではないが、むしろ、当たり前の身の回りの世界に、いろいろな方向から手当たり次第に観察の目を注いでみたい。思いつくままに記した私の観察日記に、読者の皆さんが御付き合いくださるならば、幸いこれに優るものはない。

2 環世界——違う生物種はそれぞれ別の世界に住んでいる

地球以外の場所にも生物はいるかもしれない。しかし当面は、生きとし生けるもの、つまり全ての生物は地球上に生きている。だが、生物はみな「同じ世界」に生きていると言えるのだろうか。例えば、陽の光も届かない深海の闇に生きている生物の住む世界と、昼間は灼熱に曝される乾燥した砂漠に生きている生物の住む世界は、同じ地球上でもまるで違う自然環境である。

しかし生物学者のユクスキュルは、さらにその先を行く。彼は、同じ地球上に生息する生物(種)のそれぞれにとって別々の「世界」があるのだと唱え、それを「環世界」(Umwelt)と呼んだ。「われわれはともすれば、人間以外の主体とその環世界との関係が、われわれ人間と人間世界の事物とを結びつけている関係と同じ空間、同じ時間で生じるという幻想にとらわれがちである」(『生物から見た世界』)。だがそうではないと彼は言う。彼が挙げる有名な例が、マダニの「環世界」である。マダニにとっては、哺乳動物の血を吸うことが子孫を残すために不可欠である。枝にぶらさがっているマダニの下を哺乳動物が通りかかると、視覚をもたないマダニは、その動物が発散する酪酸の臭いと体温を感知して、その体の上に落下して血液を吸う。ゆえに、哺乳動物の酪酸の臭いと体温だけが、客観的な「環境」のなかでマダニにとって意味のある「環世界」を構成しているというのである。

マダニが単純で下等な生物だからではなく、人間の場合も同様である。つまりマダニの「環世界」とは別に人間の「環世界」があり、人間はその世界の中で生まれ、生き、子孫を残し、死んでいく。その「環世界」は、「人間主体の能力に応じて切りとられた、自然のほんの小さな一こまにすぎない」(『生物から見た世界』)。人間は、五感のうちで異常なほどに視覚に依存する度合いが高い生物である。その結果、人間の「環世界」には色とりどりの様々なカタチが充満している。しかし、私たち人間は、人間の視力で見える世界に閉じ込められているとも言える。ふだん私たちは、可視とか不可視という言葉を何気なく使っているが、見る主体を特定しなければ、可視か不可視かは決定できない。「対象の属性」と「生物の視力」が特定されて初めて、見えるとか見えないとか言うことができる。早い話、人間には不可視の赤外線が「見える」ヘビや、紫外線が「見える」昆虫がいる。要するに、人間は客観的な環境を隈なく見ていると自惚れているが、あくまでも人間の「環世界」の内部で生きているにすぎない。とは言え、人間は、光学顕微鏡や光学望遠鏡、電子顕微鏡や電波望遠鏡や超音波診断装置など、さまざまな技術を開発して、裸眼では見えないものを可視化してきた。その点では他の生物たちとは違っているが、万物を見ることができるようになったわけではない。一定の「環世界」の中で生きていることに変わりはないのである。

「はじめに」の二つのエクササイズで次元の話や環世界の話を紹介することで私が読者に気づいてほしかったのは、人間が存在している客観的な環境と、人間がそのなかで生きている世界は同じではないことである。現代人は、自分たちを生物進化の絶頂に位置し、神をも脅かす全知全能の存在になりつつあるかのような勘違いをしていると、私には思える。科学者たちはそうは言っていないのに、一般の人々は、科学がもう世界の基本原理はあらかた発見し終えていて、あとは残った課題をこなしていけば世界の全体像が明らかになるかのように考えているようだ。しかし現実にはそんなことはない。私たちにとってありきたりに見える世界は、まだまだ驚異に満ち満ちている。

本書では、スペースランドからフラットランドを見下ろしたときの正方形の数学者の驚きに比べればささやかかもしれないが、私たちの生きている「この世界」に、ちょっと違った角度から光を当てることによって、「あっ」「えっ」と声をあげてみたいのである。知っているつもりの「未知の世界」にようこそ！

第一章　水と土のバラード

3 人間たちの住む世界――地球の表面は大気の底である

英語の「アース」(earth)は大地も意味すれば、地球も意味する。その「アース」を描いてごらんなさいと言われたら、あなたはどのような絵を描くだろうか。ある実験で九歳のダーシーは、円を描いて、その内側に幾つかの陸地を描き、外側に太陽や星を散りばめた。つぎに実験者に、そこに空(sky)を描き足すように言われて、困った彼女は、紙の上のほうに雲の下側にみえるような水平の線を描いた。さらに「人はどこにいるの」と聞かれて、下のほうに描いた水平の線で地面を表し、その上に建物を加えた。すると実験者は「人はアースの上にいるんじゃないの」と畳みかけた。

「大地・空・風・天気」という論文で、この実験について考察している人類学者T・インゴルドは、「平らな大地という理解」と「丸い地球という科学的理解」が成長途上の子供ではまだ混在しているという実験者の結論は間違いだと言う。インゴルドの意見では、ダーシーの絵は筋が通っている。そもそも宇宙空間に浮かぶ惑星としての地球と同じ画面に、空を描き込めと言う実験者の要求のほうが混乱しているのだと。「「科学的な」パースペクティヴからすれば、人間は地球（earth）の外側の住人（exhabitant）である。しかし空（sky）は、私たちがその上を歩く大地（ground）と同様に、人々が住みこんでいる（*in*habit）世界に属している。すなわち、それは経験のなかで提示される世界に、つまり物理的というより現象的な現実秩序に属している」のである。

同じ論文でインゴルドが紹介する別の実験では、アースと人々と空の関係を描いた一六種類のカードから、現実と最も良く合致するものを選ぶよう要求された被験者（子供と大人）の約三分の二が選んだカードでは、地球は緑がかった茶色の球で、その周りに時計の文字盤さながらにレゴ人形のような六人の人間が地面に足をつけて直立していて、地球と人々の背景に白い雲の浮かぶ青空が広がっている。実験者によれば、これが「地球についての科学的理解」だが、この絵はインゴルドが指摘するように奇妙である。その理由は、宇宙空間に浮かぶ丸い地球と、青い空の下で平らな大地の上に住んでいる私たちの体験をごちゃまぜにしているからである。

地球を円として描いたら、さらに空を描き足せと実験者に言われた六歳のイーサンは、ダーシーとは違って、円のすぐ外側にもうひとつ円を描き加えた。彼はその言葉は使わなかったが、その二重の円の間にあるもの、それは大気（atmosphere）である。私たちの地球の表面は、直に宇宙空間（outer space）に接しているのではなく、間には大気があり、私たちはその中に住んでいる。

G・ウォーカーの『大気の海』は、地球に生命が満ちることを可能にした大気という盾の物語であるが、その題名は、水銀柱を持ち上げるのは真空の吸引力ではなく空気が押しているからであることを明らかにしたトリチェリの「私たちは大気の海の底に沈んでいるのだ」という言葉に由来する。私は初めてこの字句を知った時、深海の底に蠢いている魚類や甲殻類にでもなったような気分がした。頭の上には、とてつもない量の空気が乗っかっていて、その空気のおかげで私たち人間は呼吸ができ、生きていられるのである。インゴルドの表現を借りれば、それこそが「外気のなかで生きる（live 'in the open'）」ことにほかならない。

そうであるのに私たちは、前に紹介したカードの絵のように、堅い地球の硬い表面の上に、真空の宇宙空間に頭を突き出して立っているようなイメージをもってしまいがちである。そうした思い込みの解毒剤としては、月面活動をしているアポロ計画の宇宙飛行士たちの映像を思い浮かべればよい。なぜ月面では、太陽に照らされた地面は明るいのに頭上には何時でも漆黒の空間が広がっているのか。なぜ月面では大仰な宇宙服を着ていなければならないのか。それに引き換え地上では、天気が良い昼間なら、広い青空の下で、深く息を吸い込むことができる。それは生きていることができる。それは地球の剝き出しの表面にではなく、人間が、目には見えない大気の海の底に住んでいるおかげである。

4 雲散霧消、五里霧中——水と氷と水蒸気とともに生きる

宇宙空間から撮影した地球の写真を見ると、「水の惑星」という呼名がいかに相応しいか実感できる。漆黒の闇の中に浮かぶ明るい青い球。液体の水を湛えた海、白く流れる雲は、生命の息吹を連想させる。そして、その水が地球から周囲の闇のなかへと流れ出してしまわないことの不思議さに、誰もが感銘を受けるだろう。しかし、その地球の水のうち、海水や氷や深層の地下水ではない、日常的に利用できる淡水は一パーセントにも満たないと知ると、有り難さに涙がこぼれる。その人間の涙も含めて、水は体内を、そして体外を循環しつづける。私たち人間は、循環しつづける水が無ければ、生きることができない。

『火星の人』というSFの主人公、不慮の事故でただひとり火星に置き去りにされた植物学者兼エンジニアのマーク・ワトニーは、火星の日付で一〇〇〇日間生存できれば、次にやってくる予定のミッションによって救出される可能性がある。その日まで生き延びるために、備蓄されていた三〇〇日分の食料だけでは足りない。そこで彼は、持参した僅かな地球の土を火星の

土と人糞と混ぜ合わせて畑をつくり、ジャガイモを栽培することを考えるが、「これまで考えていなかった厄介な問題がひとつ――水」と彼は一六日目のログに書く。基地には、一人当たり五〇リットルずつ総員六人分で計三〇〇リットルの水が備蓄されており、備品として高性能の「水再生機」もあったが、それだけでは、飲み水と「畑」に撒く水をまかなうには圧倒的に足りない。そこで彼は火星の大気の二酸化炭素から得た酸素と、燃料から得た水素を合わせて燃やして水を作ることにする。危険な火遊びだがほかに方法がない。地球上では、こんな危険を冒して水を作る必要はないし、彼ほど水の収支に気を遣わなくてすむ。しかし地球上でも、時と場所によっては、孤独な「火星の人」マーク以上に切羽詰まった状況に陥ることもある。体内に取り入れる水がなければ、どこであれ人間は死ぬ。

体内の水が死活問題であるのとはまた別の意味で、体外の、つまり環境のなかにある水の循環も、人も含めて生物にとって死活問題である。それがあまりに当り前であるために、私たちが気づかないだけである。水は、さまざまな様式で循環する。山の水は川を通って海へと流れる。海の水は温度差によって海流となって移動する。地上や海上で暖められた水は水蒸気となって上昇する。そしてそれは冷やされて液体となり雨となって降り注ぐ。地面に染み込んだ水は地下水となって流れ、高山や極地の水は凍って固体の氷になり、気温が上昇すれば溶け出して、液体の水になる。液体・固体・気体と様態を変えつつ流れ続ける水。生物としての人間の生存を可能にするこの条件は、広い宇宙のなかで、非常に限られた場所でだけ充足されるのだ。

水は生きるために不可欠だが、度を越した量の水に溺れて息ができなければ、逆に死をもたらしうる。適切なかたちで循環しなければ、水は凶器になりうる。近頃、温室効果ガスのせいでスムーズな循環に支障をきたしているのか、常軌を逸した豪雨が世界各地をたびたび襲っている。要するに重要なのは、たんに循環するだけでなく、適切な量の水が適切なパターンで、体内や体外を循環していることだ。体外で堤防が決壊して辺り一面が浸水するのと同様、体内でも臓器から腹水が溢れ出せば、ひじょうに危険なことになる。

海や川やコップの中の液体の水や、南極やヒマラヤや冷凍庫の中の固体の氷は、それなりに安定したアイデンティティをもっている。それに対して、霧や雲や霰や雹や霙や雪や靄や霞など、「雨冠」のついた漢字が表す多種多様な物質は、それこそ雲散霧消して捉えどころがなく、そのくせ五里霧中の山中で人を遭難させたりして、雲合霧集で油断がならない。しかし、そうした朦朧とした水の様態がなければ、私たちの世界は、無味乾燥なものになるだろう。干からびることと、溺れることとの間で、適度に湿り気のある世界の中でこそ、人間は潤いのある生活を送ることができるのである。

5　アマゾンの乾季と雨季と泥季――アマゾン低地の人々の住む世界

文化人類学の調査のためにブラジルのアマゾン地方に初めて足を踏み入れたとき、私はまだ大学院生だった。サンパウロから長距離バスで五八時間かけて、夜も明けやらぬアマゾン河口の都市ベレンのバスターミナルに辿り着いたあの日から、もう三〇年以上が経つ。一九世紀後半の「ゴムブーム」で急速に都市化したベレンは、一七世紀初めにポルトガルのアマゾン経営の拠点として川べりに築かれた要塞に端を発する。今では一〇〇万人を優に超える人口を抱える大都市となったベレンの旧市街が臨むグアジャラ湾は、アマゾン河本流からは、まだかなり距離がある。多島海のような河口部をもつアマゾン河の、大西洋への出口を栓のように塞いでいるのがマラジョー島であるが、その大きさは九州ほどの面積がある。私の最初の調査とは直接関係がなかったこともあって、マラジョー島を初めて訪れたのは今から二〇年ほど前である。その頃、先史土器を模倣した土器作りの調査を始めていて、アマゾン地方の代表的な先史文化のひとつ「マラジョアーラ文化」の舞台が、そのマラジョー島だったのである。

船着場から見晴るかす平坦な平原のなかの土埃の舞う道を車で数時間、カショエイラ・ド・アラリという小さな町に着く。ここで三回フィールドワークをしたが、あるとき町の「近く」に位置する、名の知れた遺跡「テーゾ・ドス・ビッショス」を訪ねたいと思い、いろいろ方途を探った。この遺跡はいわゆるマウンド、つまり人工的に土盛りして築いた高さ八メートル長さ一五〇メートルほどの丘である。所要時間を尋ねると、船なら六時間、車なら一時間半という。よくよく確かめて判明したのは、雨季ならあたり一面が水没して海のようになっているので、船しかアクセスがない。この遺跡の名前は「獣たちの丘」という意味だが、「イーリャ・ドス・ビッショス」つまり「獣たちの島」という別名が表すように、雨季には行き場を失ったカピヴァラなどの動物が集まる島になる。乾季には、地平線の果てまで平原になるので、四輪駆動車で辿りつける。それが「船なら……車なら……」の意味だった。

話はこれで終わりではない。熱帯に位置するアマゾン地方では、一年は大きく雨季と乾季に分かれるが、「乾季には毎日雨が降る。雨季には一日中雨が降る」という言い回しもあるように、乾季にも雨は降る。ところがマラジョー島に行って知ったのは、雨季と乾季のあいだに「泥季」とでも呼ぶべき、もうひとつの季節があることだった。実はいちばん厄介なのが泥の季節で、水が引いた後の平原は一面が泥沼で歩くのにも難渋する。「テーゾ・ドス・ビッショス」にも辿り着く術がない。そういうわけで、町の中心はともかく、町外れともなれば、杭の上に板を敷いて家々を繋いだ、渡り廊下のような細い通路だけが頼りである。そうした設えの極致とも言えるのが、広大なマラジョー島のほぼ中央に位置するジェニパッポという名の集落で、村の全家屋が三メートルほどの高さの橋脚上の渡り廊下で繫がれていて、雨季には湖上都市のような景観を呈する。

乾季の一日、念願かなって、友人の運転する四輪駆動車で「テーゾ・ドス・ビッショス」を訪れることができた。数百年前に作られた精巧な土器の土器片が足元に散乱する、先住民族が築いた丘の上に登り、地の果てまで拡がる平原を見渡したとき、辺り一面が見渡す限り冠水している光景を思い浮かべるのは難しかった。しかしそれは東日本大震災の津波のような突発的な天変地異ではない。日本列島に住む私たちにとっての四季と同様に、毎年めぐりくる季節の風景なのである。要するに、マラジョー島の自然は、水と泥と土の三態を繰り返して成り立っている。大地そのものの形が極端に変貌するのであり、それに応じて人々の生活も、まったく別物にならざるをえない。私は、「雨季のマラジョー」も「泥季のマラジョー」も体験したことがないが、それはつまり、マラジョー島の世界を何も知らないということである。

6　蛇行する密林の川——アマゾンのワームホール

ブラジルのアマゾン地方でフィールドワークをしたと言うと、熱帯の密林に住む先住民インディオの村に住み込んでいたと思う人が多い。しかし実は、私のアマゾンでの調査は、そういう類のものではなかった。

そんな私が絵に描いたようなインディオの集落に滞在したことが一度だけある。アマゾン河上流のジュタイという小さな町からジュタイ川を遡り、さらに上流のビア川流域に住んでいるカトゥキナという名の部族の集落を訪ねたときのことである。そのとき私は、ＯＰＡＮというカトゥキナを支援するブラジルのＮＧＯの青年二人と彼らの船で数日間かけて川を遡ったのだが、行けども行けども変わらぬ原生林を縫って、ときおり緩やかにカーブする川幅数十メートルばかりの川を、ひたすら船は進んでいく。両岸には壁のような叢林が迫り、時折色鮮やかな鳥の群れが空を横切る。船のエンジンの音を除けば辺りは静まり返っていて、川面が蒼天を映して青黒く澄んでいる。アマゾン地方には、栄養分に富んだアマゾン河本流のような濁った泥色の川のほかに、水が透明で黒色や青色に見える川もあるが、そうした栄養分が乏しく澄んだ川の流域にはマラリアが多い。

いつ果てるともない川の風景にいささか飽きてきた頃、前方に何人かの男を載せた数メートルほどのカヌーが停まっているのが見えた。OPANの二人によれば、船の音を聞きつけて迎えにきたカトゥキナの人々だと言う。もう集落は近いのかと思ったら、まだまだ先らしい。そのカヌーを追い越して船がさらに一〇分か一五分遡っていくと、先程と同じように、私たちを待っているカヌーがある。見れば、まったく同じ男たちである。私は狐につままれたような気分になった。尋ねると、今は雨季だから森の中にまで川の水が入り込んでいて、森の中にカヌーなら抜けられる水路ができるのだと言う。しかしそれでも、なぜ手漕ぎのカヌーが先回りできるか腑に落ちなかった。

その謎が解けたのは、地図で確認したときだった。ビア川は、まさしくヘビのように蛇行していたのである。だから船が長い時間をかけてくねくね曲がる川を航行している間に、カヌーは森の中の水路をぬけて簡単に先回りできたのである。飛行機からアマゾンの密林を見下ろすと、緑の絨毯の只中で曲がりくねる川の流れが一目瞭然である。アマゾンの川の世界の住人たちには、ほとんど高低差のない平坦な世界で生活しているのに、蛇行する川の流れが空中から見下ろすように明瞭に見えているのだろう。それに対して私だけが、フラットランド人さながらに、緩やかにカーブするものの、ほぼ真っ直ぐな川を遡っていると勘違いしていたというわけである。森の中のこういう抜け道の水路をアマゾンでは「フーロ」(furo)つまり「孔」とよぶ。私には、それはまさに「ワームホール」だった。

数時間後、私たちは船を停め、彼らのカヌーに便乗して森のなかの集落に辿り着いた。翌日、OPANの二人は上流の村々を訪ねるためにビア川をさらに遡り、私は一人でその集落に滞在することになり、森の中での釣りに同行したり、「曲げ物」作りのようなカヌー作りを見学したりして、珍しい体験をさせてもらった。一週間ほど経った夜、下って来るOPANの二人を迎えるために、男たちが漕ぐカヌーに乗せてもらって本流まで出て、静寂のなか船の到着を待っていた。ところが、しばらくすると数艘のカヌーが、申し合わせたように集落に向けて戻り始めた。何もわからない私が、「(OPANの)エデマールたちを待たないのか」と尋ねると、「今夜は上流で泊まるから着くのは明日だ」と言う。なんと遥か上流で船がエンジンを止める音が彼らには明瞭に聴きとれたというわけだった。

同じ環境の中にいるからと言って、誰もが同じ景色を見て同じ音を聴いているわけではない。カトゥキナの人々を私の住んでいる福岡市の繁華街に連れてきたら、きっと私には見えたり聴こえたりしているのに、彼らにとってはそうではないものがたくさんあるのだろう。彼らには、例えばエレベーターが、驚くべきワームホールにみえるのかもしれない。

7　土に埋めるモノ――ゴミと宝物と遺体

人は実にさまざまなモノを、土に穴を掘って埋めてきた。いや人だけではない。犬も骨や靴など色々なモノを土に埋めるが、埋めるモノのレパートリーは、人間ほどヴァリエーションに富んではいない。人間が土に埋める多彩なモノについて思いを巡らせていて頭に浮かんだのが、ゴミと遺体と宝物を頂点とする三角形である。これを使って、「土にモノを埋める」というアイデアについて考えてみよう。

しかしその前に、モノを埋める「土」なるものについて。「土」という単一の物質があるわけではない。ひとくちに「土」といっても、生成過程も成分も様々だ。例えば日本列島は火山灰に由来する酸性土壌が多いので、骨が溶けてしまって残りにくく、旧石器時代の人骨もなかなか発見されない。日本列島で一番古い人骨は沖縄で発見されているが、それは地下水が鍾乳洞の石灰石に由来する炭酸カルシウム成分を含んでいるためであり、沖縄以外では、古い人骨は、たいてい貝殻が堆積した貝塚から出土する。つまり「土に埋める」といっても、埋められたモノの顛末は、土の種類が違えばまるで別物になる。しかし、土の科学的分析は、地質学者や土壌学者など専門家にお任せすることにしよう。

ここで注目したいのは、モノを土に埋める目的である。何のために土に埋めるのか。第一に「隠す」。犬が骨を埋める目的も、あの熱心さからみて多分これである。他人の目から隠す方法として、そこそこの労力で掘り返せる適度な軟らかさと硬さをもつ土という物質に穴を掘って埋めるのは理に適っている。第二に「保管する」。隠すのだけが目的ではなく、保管するために埋めたなら、埋めっぱなしではなく、しかるべき機会にもういちど掘り出すことを予定しており、そのために重要なのが目印である。「保管」にもいくつか類型がある。そのひとつは、金銀財宝など宝物であり、花咲か爺さんのポチが掘り出した大判小判や、海賊が髑髏《どくろ》マークのついた大箱に入れて埋めた略奪品などは、その典型である。ときには埋めた本人ではない別人が掘り出してしまうこともあり、そうすると出土品の所有権をめぐってドラマが生まれる。別の類型として、食物の長期保存というものがある。大抵は容器に入れて埋めるが、直接埋めることもあり、例えば縄文時代のクリの貯蔵はそれにあたる。この場合は、掘りだして食べるのだから、埋めたときの状態から変質してしまうと困ったことになる。第三に「変質を予期ないしは期待する」。宝物や食品と違って、土に埋めたことによって変質することが期待されている場合がある。例えば、「再葬」を予定して地中に埋葬した遺体などはそれにあたる。微生物の働きで腐敗して分解した後に、遺骨だけを掘り出して洗って、改めて埋葬するので、しかるべく変質してもらわないと困る。ゴミも変質を期待して土に埋められる。有機物のゴミの場合、うまい具合に分解して地味を豊かにするのに役立つが、近現代の私たちの生活では、いつまでたっても分解してくれない種類のゴミがどんどん増えている。自然の循環サイクルには存在しなかった物質を考えなしに大量に生み出しているからである。

ゴミの中で最も厄介なものは、疑いもなく放射性廃棄物である。信じられないほど長期にわたって放射線を出し続けるこのゴミを処分する方法として、現代科学の英知を結集して考え出したのが「地層処分」、要するに、ガラス固化体のなかに封じ込めて三〇〇メートル以上の地下奥深くに掘った穴に埋めるというものである。しかし後世の人たちがうっかり掘り出してしまったら大変なことになる。だとしたら忘却するわけにはいかない。掘り出してはいけない危険なモノが埋蔵されていることを子々孫々が記憶しつづけなければならないのである。「地層処分」という方法には、生理的なレベルで違和感を覚えるのだが、おそらく、「穴を掘って土に埋める」という人類が長く活用してきたアイデアと、根本的なところで相容れないところがあるからではないだろうか。どこかで「地雷を埋める」のに通ずる掟破りの感じがするのである。

8　縄文人の貝塚――ゴミ捨て場か外部メモリーかモニュメントか

縄文時代の人々が遺した生活の跡、つまり遺物や遺跡には、土器や石器や建物跡や落し穴など、さまざまなものがあり、貝塚もそのひとつである。貝塚は、教科書で「昔の人が食べた貝の殻などを捨てたゴミ捨て場」と説明されることもあったが、現在では、現代の私たちが理解するような意味で「ゴミ捨て場」と呼ぶことはできないことが明らかになっている。貝を食べた残滓《ざんし》の貝殻が長期間かかって堆積したものであることは間違いない。しかし貝塚には、貝殻や獣骨以外にも、さまざまなモノが混在している。たとえば人骨や土器や石器など、私たちがゴミとよぶことは憚られるようなモノも含まれている。ある解釈によれば、それは一種の「送り」の場だという。つまり、貝殻であれ獣骨であれ、道具であれ人骨であれ、もういちど「この世界」に戻って来ることを期待して、ひとまず「あちらの世界」にお送りする儀礼の場というわけである。

貝塚を築いた人びとは居なくなっても、物質としての貝塚は残り続ける。仮にそれが「送り」の場だったとしても、今となっては、その感覚を共有することは難しい。貝塚は、現在の海岸からは遠く離れた山中にも遺されていることがある。気温が現在より高かった時期に、海水面が上昇して海岸線が内陸部にまで入り込んでいたことがその原因だが、後世の人々にとっては、山中に大量の貝殻が堆積していることは、大きな謎だったようだ。そこで、山に住むダイダイラボッチという巨人が、手を伸ばして海の貝を採っては食べ、その貝殻を捨てた場所だとする伝承も生まれた。

貝塚がそれを遺した人々にとって何であったのかについて話を進める前に、まず「ゴミ」なるものが、いつでもどこでも同じように「ゴミ」だったわけではないという点に注意を喚起したい。人間の社会ならどこでも、周囲にある物質を材料として、それを加工したり、利用したり、摂取したりして生活を営む。その結果として発生した物質のうち、再使用・再利用・転用しないものは、周囲の物質世界に送り返される。そのなかで、不用と判定されて廃棄されるものを日本語では「ゴミ」とよぶ。しかし何が「ゴミ」に類するものとして廃棄されるのか、つまり、「ゴミとゴミでないものの境界」は、社会によっても時代によってもことなる。さらに、ひとたびゴミになったものも再び「ゴミでないもの」に変じて、人々の生活の中に舞い戻ることもある。つまり「ゴミ」とは、それぞれの社会で物質がめぐる生生流転のなかのひとつのフェイズなのだ。

そこで縄文時代の貝塚だが、考古学者が提出している仮説のひとつとして、生者がアクセスできる「外部メモリー」の役割を果たしているのではないかというものがある。貝塚には、長年にわたって共同体の人々が採取し摂取してきた貝の総量が目に見える貝殻の形で蓄積している。そこには仕留めたイノシシやシカの骨や、製作して使用した土器や石器などの道具や、その破片なども混じっている。さらには、かつてこの共同体で生きた人々の骨も含まれている。要するに、その全体が、「共同体の歴史」の物質的なアーカイブなのである。そうしたメモリー機能は、部分的には、文献を収蔵する図書館に受け継がれたと考えられるが、受け継がれなかった部分、つまり両者の違いにも注目する必要があるだろう。たとえば、居住域から遠くない場所に積み上げられた貝殻が放っていたにちがいない強烈な臭い。それを厭わしいゴミと考えれば、生ゴミの放つ悪臭ということになるが、長く続いた豊かな食生活の記録ということになれば、それは「誇るべきモニュメント」が発散する「幸せの香り」だったのかもしれない。

考古学の知見によれば、縄文時代のあとの弥生時代になると、(現代の私たちにとって)わかりやすいゴミになってくるらしい。おそらくメモリーやアーカイブの形態に変化が生じたのだろう。そしてやがて文字が中国からもたらされると、縄文時代の人々にとって貝塚がもっていたリアリティは、もはや理解不能なものになっていったにちがいない。

9　凸と凹——人間の生活が景観に遺す痕跡

山々が連なった「山並み」というものがある。それは地面の凹凸だが、ある天気の良い日に通勤バスの窓越しにぼんやりと山並みを見ていて、空つまり大気の側にも凹凸はあるのだと感じた。ふつうそうは見えないのは、山が固体で大気が気体だからだろうか。では陸地という固体と海という液体がつくる海岸線の場合はどうだろう。岬や半島に注目すれば、たしかに陸地のほうが突き出ていて凸と見えるが、波を繰り返し打ち寄せて侵食する海のほうが凸だという感じもする。これは話を拡げれば「図と地」という問題で、みなさんもデンマークの心理学者E・ルビンが考案した「ルビンの壺」という多義図形を見たことがあるだろう。同じ絵が、「左右対称の壺」に見えたり、「向かい合う二人の横顔」に見えたりする。どちらを図で、どちらを地と見るかで、「凹と凸」がひっくり返る。

考古学で「遺構」とよばれるモノは、穴や溝を掘ったり、丘を築いたり、家を建てたりといった、要するに昔の土木工事の痕跡だが、ここにも凸と凹がある。山並みや海岸線が大自然によって生み出された作品であるのに対して、人間が大地に加工した痕跡である遺構は、人間のさまざまな活動が遺した作品である。エジプトやマヤやアステカのピラミッドや、旧約聖書のバベルの塔、中国の万里の長城などは、非常に意図的に多大な労力を投入して建設した凸である。そのために使う岩石や土を調達した結果、別の場所に凹を作り出したはずだ。他方、壕や濠を掘る、用水路を通す、池を掘る、切通しを開く、トンネルを掘削するといったものは、凹を作り出すことが目的である。そしてこちらでは、掘り出した土や岩石をどこかに廃棄しなければならないが、盛土のような大きな凸の建造とセットをなすこともあるだろう。アマゾンのマラジョー島では、階層化された社会だったとみられる「マラジョアーラ文化」の時期に、「マウンド」つまり人工的な丘が建造されたが、大量の土を掘り出した凹みは、乾季にも魚が泳ぐ貯水池として利用されていたようだ。

人間の生活が遺す凹や凸の痕跡のなかには、日々の暮しの反復の結果、意図せずして印された凹凸もあり、規模は小さく目立たなくとも、貴重な情報を含んでいる。たとえば足跡、つまり動物が移動する際に足を通して地面にかかった力によって形成された凹みである。硬い地面や岩場の場合は明瞭な足跡は遺りにくいが、ぬかるみなど軟らかい土に遺された足跡のなかには、乾いて固くなって長く痕跡をとどめるものもある。有名なものに、フランスのノルマンディ地方で発見されたネアンデルタール人の小集団が遺したとみられる足跡がある。縄文時代の貝塚は、凹である穴に貝殻などを長期間にわたって投棄しつづけた結果、盛り上がった凸を形成するに至ったものである。

現代では、大規模土木工事がかつてないほどの規模と速度で景観を変えてしまっているが、その反面、私たちの日常生活は、硬い人工面の上で展開するのがふつうであるために、その痕跡が遺りにくい。人間が身一つで作り出すことができる凹や凸、人間が意図せずして（しばしば反復によって）遺してしまう凹や凸。そういうものの影が薄くなりつつある時代を私たちは生きている。

ところで子供は、地面に穴を掘ったり、砂で山を築いたりするのが好きである。そのあたりの機微をシンプルかつ明瞭に語っている御薦めの本がある。「こどものとも」の一冊、谷川俊太郎（著）・和田誠（イラスト）の『あな』である。ひろしは、ある晴れた日、スコップで穴を掘る。掘った穴の中に座って青空を見上げる。もんしろちょうが視界を横切る。やがて、ひろしは外に出て、こんどは穴を埋め戻す。穴を掘る前と穴を埋めた後で、何も変化がないようにみえる。未来の考古学者の目は、そこに掘削の痕跡を見出すだろう。しかし、ひろしのなかに生まれたものは、物質的痕跡とイコールではない。目に見える凹や凸は、現場ではない別のところに、目に見えない凸や凹も遺すのである。

10 地層断面が見せる歴史――土の中に堆積した時間

「モノリス」(monolith) とよばれるモノがある。ギリシャ語で「一枚岩」という意味であるが、オーストラリアの「ウルル」(エアーズロック) やリオデジャネイロの「ポン・ジ・アスカール」のような小山サイズのものを筆頭に、大きさは様々である。映画史上もっとも有名な「モノリス」として、『2001年宇宙の旅』に登場する謎の黒い石板がある。こちらは自然のモノでも、人間が作ったモノでもない。

巨大な岩板の呼び起こす感興については**11**に譲るとして、ここで注目するのは「土壌モノリス」、別名を「土壌断片標本」というモノである。「土壌モノリス館」という施設のウェブサイトによれば、それは、地面に穴を掘ると現れる「土壌断面」とよばれる垂直断面の姿をそのまま取り出したもので、通常幅二〇センチ高さ一〇〇センチで製作される。つまり、長年にわたって堆積した深さ一メートルの土の実物標本である。

ところで、土はなぜ時とともに堆積するのか。遺跡や遺物はなぜ土の中に埋まってしまうのか。そもそも土は、どのようにして誕生したのか。土は、陸上植物の出現をきっかけに四億年前に誕生し、風化や浸食で砕けた岩石の粒子と、微生物によって分解された有機物である腐植が混じり合って、今でも作られ続けているのであり、なんと一センチの土が積もるには一〇〇年かかるのだという(『秘土巡礼』)。土作りに微生物がはたす大きな役割については37でも取り上げる『土と内臓』という御薦めの本があるが、実は土と同様に人の内臓は、微生物が作り上げる世界なのだ。ミミズも、土を食べて糞を出し、動き回って、土作りに貢献している。かのダーウィンには、ミミズが長い時間をかけて土を作るプロセスについての、息の長い研究がある(『ミミズと土』)。因みに、植物の生長をはじめ、土が人間の生活の色々な場面で大活躍してきたことは繰り返すまでもないが、驚くべきことに、二メートル弱の厚さしかない土壌が大樹も含めて植物全体を養っているのだという(『モノリス・真下の宇宙』)。

こうした次第で、地球の岩盤の上に、気の遠くなるような時間をかけて、土が一層また一層と積み重なってきたのだ。ありがたい「大気の海の底」には、同じくらいありがたい表土が敷かれているというわけだが、ふつうは地表しか見えないので、「土壌モノリス」のような標本を採取しないと、その内部はわからない。しかし土の断面が露出している場所がある。自然にできた断層や、人間が作った切通しがそれであり、断面に刻み込まれた現在にまで至る歴史が目に見える。

日本列島の切通しのなかで、日本絵画史上いちばん有名なものは、大正四年つまり一九一五年に岸田劉生が《道路と土手と塀(切通之写生)》という油絵で描いた渋谷区代々木の切通しだろう。だが、この絵の主役は道路と青空で、切通しの断面は整形された土手と塀に覆われてしまっている。先史考古学では、群馬県岩宿の切通しが有名である。一九四六年に、路面から目視できる関東ローム層の赤土から相沢忠洋が発見した石器が、三万五〇〇〇年前に日本列島に旧石器文化が存在したことの証拠になった。

切通しは、基本的に人間が道や線路を通すために切開したものである。それに対して、自然の景観のなかに、地質学的な力が働いた結果、地層がずれて断層を露呈している場所がある。人類学者C・レヴィ=ストロースは『悲しき熱帯』という本で、南仏のラングドックの「石灰質高原の断面で、二つの地層が接している線を追いかけた思い出」について書いている。彼は、その空間化された「過去の痕跡」としての地質学的特徴を手掛かりとして、「かつては二つの大洋が相次いで存在したこと」を読み取ったのだが、表面に現れている複雑さの底にシンプルな秩序を見出す手法は、彼の構造主義にも通底している。

地球の内奥は人間が生活できる空間ではない。地球を包む土という薄い皮膜が、生物としての私たちを養い、私たちはそこに自然の力と競い合いながら、文化の痕跡を刻み込む。

11 遺跡と間違われた奇岩——自然が景観に施した彫刻

岩石のなかには、とてつもなく巨大だったり、尋常でない形をしていたりして、衆人の目を引くものがある。日本各地のそのような巨石や奇岩は、しばしば御神体として「磐座《いわくら》信仰」の対象になり、注連縄《しめなわ》が巻かれたり、神社が建てられたり、縁起が語られたりしてきた。信仰の対象となる理由は、その岩石が、自然の所産というより、何か神仏のような存在の介在によって生み出されたモノ、自然物でもなく人工物でもない領域に属すモノと感じられたからであろう。『日本石巡礼』という本には、そうした巨岩・奇岩がいくつも紹介されているが、どれも容貌魁偉といった形容がぴったりする。タダモノではない。

他方、世界各地には、巨石を材料とした巨石建造物とよばれるものが数多く存在する。遠く離れた土地で非常によく似たものが作られているが、お互いに関係があったのか、あるいは何か共通の心意に発してそれぞれ独立に作られたのか。イングランドのソールズベリー平野にあるストーンヘンジは代表的なもののひとつだが、何らかの力に抗して屹立している感じがする。

日本の庭園づくりでも、石は「立てる」ものらしい。そこに通底する感覚があるのだろうか。

つぎに紹介するのは、磐座信仰や巨石建造物と無縁ではないが、いささか趣を異にする岩石の話で、イギリスの考古学者R・ブラドリーが「廃墟化した建造物、廃墟化した岩石」という奇妙な題名の論文で論じている。イングランド南西部には、複数の岩が壁のようになった上に天井のような一枚岩が載っている、現地で「トォー」(tor)とよばれるゴツゴツした花崗岩の露頭が各所にみられる。興味深いのは、それと類似した形の巨石墓が先史時代に建造されている例が少なくないことである。その理由について考える際に、考古学者C・ティリーの「岩石の力」という論文が参考になる。そこでは、景観のなかの特徴的な形状に何か特別な力を感じ取り、その力を流用すべく、その近くに、儀礼や祭祀のための施設と思われる石を積んだケルンや丘の上の囲いを建設したのだろうという解釈が示されている。しかし巨石墓の建造に関しては、自然の造化の流用という説明だけでは十分ではないとブラドリーは言う。そこで彼が注目するのが、一八世紀に学者たちが、花崗岩の露頭のひとつを巨石建造物と誤認していたという事例だ。とすると巨石墓を建造した人々も、「トォー」を自然の地形の一部ではなくて、人工の建造物と考えていたかもしれないとブラドリーは言う。つまり、周囲にある「トォー」を先人たちが遺した「廃墟化した巨石墓」と解釈したからこそ、その一部を流用したりして、自分たちの巨石墓を建造し、その「遺跡」(を作った人々)とのつながりを強調したのだろうと。もしこの解釈が当たっているならば、「自然の地形」と「過去の人々が作り上げたモノ」が混同されていたということになる。ブラドリー曰く、「廃墟化した建造物と同様、廃墟化した岩石もたくさんあったのだ」(傍点引用者)。

　この着眼は、日本の磐座信仰について考えるのにも役立つかもしれない。巨石や奇岩が人智を越えた力をもつと考えられたからこそ、信仰の対象とされたのだろう。阿蘇の押戸ノ石石群など、見るからに「神々の造形」と呼ぶにふさわしい(『石組作法』)。ところで、自分たちより前の「人々」を尋常な人間ではない超人だったとする考えは、けっして稀ではないことからすれば、人智を超えた先人たちの作った人工物として巨石や奇岩を理解したという仮説も、あながち荒唐無稽とは言えない。

　私たちは、自然環境と人工物は、まったく別種のもので、簡単に区別がつくと思い込んでいる。確かに断崖絶壁と超高層ビルを取り違えるのは難しい。しかし、打製石器のなかには自然石と区別しがたいものもあるし、手頃な石を拾って石器として使ったということもあっただろう。役に立つ特徴を自然物に見出す、自然物を模して人工物を作り出す、人工物の痕跡を風景の中に見て取る。自然物と人工物の境界というのは、思った以上に、曖昧模糊としているのかもしれない。

12　アスファルトという表皮——世界は繕い続けなければ劣化する

Ａ・ワイズマンというジャーナリストが書いた『人間が消えた世界』は、フィクションともノンフィクションとも言える。というのは、他の生物はすべて生き残っているのに人類だけが突如として消滅してしまった後の世界を、入手できるあらゆるデータを使って克明に描写した本だからである。では、いったいどのような世界が出現するのか。「私たちは、自然と、仲間である生物に、情け容赦ないプレッシャーをかけている。このプレッシャーから突如として解放されたら、私たち以外の自然はどう反応するだろうか？……（中略）……自然は、私たちが残した痕跡を跡形もなく消してしまえるだろうか？」。この本のシミュレーションから得られるのは、いま私たちが生活している世界は、人間が休むことなく世話をし、修繕し、メインテナンスしつづけている限りで存在している世界なのだという教訓である。ニューヨークのマンハッタンでは「人が消えて最初に巡ってくる三月に、あらゆるものが崩壊しはじめる。……（中略）……凍結と融解が繰り返され、アスファルトやコンクリートにひびが入る」。そのひびから雑草が繁茂し、やがて「アスファルト・ジャングルは本物のジャングルに姿を変えていく」。

二一世紀の都会で生活する私たちは、地面をどのように体験しているのだろうか。マンションや住宅の片隅や、グラウンドや公園には、まだ土の地面が顔をのぞかせているかもしれないが、それは休日とかレジャーなどと結びついた非日常的空間であって、日常的に接している地面の大半は、アスファルトやコンクリートに覆われている。地中には水道管やガス管など、さまざまなものが埋設されているが、そのことを私たちは忘れている。だから、道路工事現場で表皮のアスファルトやコンクリートが引き剝がされて、その下の「肉」のような土を目にすると、興味をそそられると同時に、妙に落ち着かない気分になる。しかし工事が完了すれば、それは再び視野から消える。地震や台風や豪雨や浸水のような自然災害では、すぐに原状回復というわけにはいかないが、それでも必死の復旧作業によって、場違いな所に出現した土は再び隠蔽される。

熊本県水俣市の栄町の往還道について石牟礼道子が書くように、「道というものは大地と生きものたちの営みの、目にみえる条痕でもあった」(『椿の海の記』)。それは自然と文化がせめぎあう領域だったのだ。それなのに、ひとたびアスファルトやコンクリートが大地を覆ってしまうと、ともすれば私たちは、その下に土があり生き物がいることを忘れ、大自然を飼い馴らしているという幻想をもってしまう。

アスファルト舗装の上を闊歩している現代人の多くは、アスファルトが、ひじょうに古くから利用されてきたことを知らないかもしれない。道路舗装に使われるアスファルトは原油から合成されたものだが、天然のアスファルトは、縄文時代に、鏃《やじり》を装着したり、こわれた土器を補修したり、接着や防水に用いられていたのである。ついでに言えば、コンクリートもローマ時代にすでに建材として使われていて、いまも残るローマのパンテオンも（鉄筋は入っていないが）コンクリート建築なのである。

ところでアスファルトは、コンクリートと違って、熱でやわらかくなってしまう。ブラジルでは、アマゾンを東西につなぐ「トランスアマゾニカ」というハイウェイが一九七〇年代に建設されたことがあるが、経済危機のせいもあって、そのごく一部しか舗装されなかった。それとは違って少なくとも一度は舗装された、アマゾンのベレンと首都ブラジリアを繋ぐハイウェイは、アマゾン地方の部分では、強い直射日光と激しい雨にさらされ、（私が三往復した一九八〇年代には）「道より穴が多い」という小話が当たらずとも遠からずだった。要するに、アスファルト舗装にかぎらず、私たちがそのなかで暮らす人工的環境をメインテナンスする作業をする人間がいなくなれば、自然が自らの「原状回復」作業を開始するということなのである。

第二章

どの材料で何を作るか

13 ただの石というものはない——石器時代人の鉱物学

現代に生きる私たちにとって、石はまだ身近にあるが、日々の暮しにとって不可欠というものでもない。しかし、かつて石器が必需品だった二百万年以上におよぶ「石器時代」があった。その最後の「新石器時代」が終わるのは、青銅器や鉄器といった鋭利で硬い金属を素材とする道具が作られ始めたことによるが、「石器時代」でも道具がすべて石器だけだったわけではないし、「石器時代」終了後、石器が使われなくなったわけでもない。

石ではなく有機物に由来するもののなかで、耐久性のある素材としては、骨・角・牙・歯・貝殻があった。骨製の縫い針や釣り針は、後に鉄製のものに代わられたが、骨や歯や貝殻で作られた装身具などは、現代でも見かけることがある。他方、腐敗や風化のせいで長期残存が難しい素材として、毛皮や腱などの動物性のもの、木材や草など植物性のものがあり、石器時代にも衣服や建材や什器など色々な用途のために使われていたのだが、氷河や低湿地遺跡などの例外を除いて通常は分解してしまうので、それが果たしていた重要な役割をうっかり忘れそうになる。

現代社会でも、石という素材の利用が消えてしまったわけではない。石碑や墓石や漬物石などとして、あるいは建物や橋や道路などの資材として、岩石という素材はまだまだ現役で活躍している。石の道具としては硯や砥石や石臼などがあるが、それぞれに適した石がある。有名な「端渓硯《たんけいけん》」は、その輸入販売サイト（http://suzurilife.jp/?mode=f1）によれば、「中国広東省肇慶市を産地とする〝端渓石〟と呼ばれる種類の石を素材として作られた硯」で、古来「〝墨の伸びが良い〟〝墨色が良い〟〝墨の下りがはやい〟〝墨を磨る力が衰えない〟〝溜めた墨が涸れない〟〝筆先を損じない〟」という特長があり、それには「モース硬度は極めて低く、粒度は極めて細かく、また吸水性、透水性においても極めて低い」という物理学的根拠もあるらしい。刃物などを研ぐ砥石にも、用途に応じて種類があり、天然モノの伊予砥など有名な砥石産地がある。道を作り、橋を架け、堤防を作り、石垣を積んできた石工たちも、さまざまな石の特徴を知り、用途に応じて使い分けてきた。「石の神様」とよばれた石牟礼道子の天草出身の祖父のような、石の目利きたちにとって、ただの石などというものはなかったのである。

このように特定の分野では、岩石についての専門的知識が残っているし、木内石亭に代表される江戸時代の「弄石家《ろうせきか》」から、徳井いつこの『ミステリーストーン』が紹介する現代の「石ぐるい」まで、石にマニアックな関心をもつ人はいるのだが、現代社会の一般人にとっては、大理石、大谷石、花崗岩、玄武岩、砂岩ぐらいはイメージが湧いても、たいていの石は「ただの石」にすぎないだろう。しかし、そんな現代人の常識で「石器時代」の「石文化」を理解しようとすると、とんでもない間違いを犯すことになる。

「石器文化」とは、非常にさまざまな異なった属性をもつ鉱物から成る岩石という素材を、目的に合わせて選択し、手近になければ採掘・遠征・交換などによって調達し、素材のもつ個性を活かしながら、しかるべき手順で加工し、使用によって破損した際には修繕し、再使用ができないなら、別の目的に再利用し、といった複雑なテクノロジーの集合体である。たかが「石ころ」で作った粗雑な道具しかなかった低レベルの技術などと思ったら大間違いなのである。

ただし長い石器時代の始まりと終わりでは、技術にも大きな差があった。打ち割るだけでほぼ完成したチョッピング・トゥール（両刃）やチョッパー（片刃）とよばれる礫器から、丁寧な整形が施されたハンド・アックス（手斧）を経て、素材を効率よく利用し目的別に作り分けた細石刃《さいせきじん》や尖頭器や石鏃に至る技術革新に見て取れるように、「石の科学」は着実に洗練されてきた。

そこに、殺傷力にすぐれ光沢のある金属という新しい物質が登場したのである。これが進歩だったのかどうかは判定が難しいが、ひとたび始まった金属の時代は、もはや後戻りすることはなかった。

14 トナカイの角にマンモスの像——物質を素材にしはじめた旧石器時代人

フランス南部のモンタストリュックの洞窟で発見された二つの「彫刻」がある。どちらも最終氷期末期のモノで、一方は、一万二五〇〇年前頃に作られた、トナカイの枝角に彫られたマンモスであり、他方は、一万三〇〇〇年前頃に作られた、マンモスの牙に彫られた二頭の泳ぐトナカイの彫刻で、「前方には体の小さいメスのトナカイがいて、牙の最先端がその鼻先になっている。メスの後ろの牙が太くなっている部分では、体の大きなオスがいる」(『100のモノが語る世界の歴史1 文明の誕生』)。大英博物館館長だった美術史家N・マクレガーは、これらの「彫刻作品」を手掛かりに芸術の誕生について論ずるのだが、私がここで注目したいのは、作品の素材と題材の関係である。

トナカイの枝角にトナカイの姿が彫られ、マンモスの牙にマンモスの姿が彫られているのであれば、描写しようとしている動物の一部を使って全体が表現されていることになる。つまり素材と題材のあいだに必然的な連続性がある。しかしトナカイの枝角を素材にマンモス像が作られ、マンモスの牙を素材にトナカイ像が作られるのであれば、何を材料にして何を製作するのか、つまり素材と題材の組合せに必然性は感じられない。手近な材料を使うといった偶然の結果だろうか。あるいは、隠された意図があるのだろうか。その真相は今となっては不明だが、ここで注目したいのは、物質が、人間にとってさまざまなモノへと加工しうる素材としての潜在的可能性を獲得したという点で、物質と人間の関係をめぐる新しい状況が出現したということである。

この変化の意義は、いくら強調しても強調しすぎることはない。自然環境とそれを構成する自然物は、それに取り囲まれて生きる人間にとって一定の条件として働く。その条件の下で人間は、手に入る食べ物を摂取し、木陰で雨露をしのぎ、洞穴で休み、生活を営んでいた。しかし、そうした環境利用にとどまらず、そこに、自然には存在しない新しいモノを作るための素材を発見することによって、自然環境が豊かな「資材倉庫」へと変貌したのである。

素材と題材の恣意的な組み合わせという選択肢を、ひとたび手にすれば、そこからは信じられないような可能性が生まれる。何を材料にして何を作っても良いのだ。このことを逆から見れば、そのハードルを越えるまでは、トナカイの枝角を見てもマンモスのことなどイメージできず、マンモスの牙を見てもトナカイをイメージすることなどできなかったということになる。では、このハードルを越えることができたのは、人間の側のハードウェアの変化なのだろうか、あるいはソフトウェアの変化なのだろうか。考古学者のS・ミズンの「領域固有の知能」間の流動性の高まりという説は、説得力のある解釈のひとつかもしれない（『心の先史時代』）。つまり人間の頭脳の中で、それまで分断され分業体制だった複数の領域のあいだのクロスオーバーが可能になると、それまで無関係だったものが、思いもよらないかたちで関係づけられるようになる。要するに、マンモスの牙の断片というモノと泳ぐトナカイのイメージが、どうしたことかオーバーラップするという事態が、作り手である人間の世界認識のなかに出現したということである。そこでは、自然に埋め込まれていた規則にかわって、人間が作りだした約束事が前景化している。

そしてそれは、言語における音と意味の関係の恣意性に似ているのではないだろうか。人間が発声可能な音の中から、意味の違いを生む最小単位である一定数の「音素」が恣意的に選び出されているが、それは言語ごとに異なる。さらに「音素」が組み合わされた語に、意味が恣意的に結びつけられている。例えば「トナカイ」という音の連なりと、それが意味する実在の動物のあいだに必然的な関係があるわけではない。つまり、ある素材を使って、全然関係のない別のものを表現することによって表現の可能性が一気に拡大したという点で、言語の発生と同形の現象ではないかと思えるのである。

15 粘土とプラスチック——何でも作れる可塑的物質の汎用性

プラスチックは、近年、厄介者扱いされることが多くなってきた。大洋の真ん中にプラスチックゴミ、とくにマイクロプラスチックが集積して渦を巻いているという現実は、プラスチックの便利さに安住してきた人間の身勝手さへの警鐘である。自然界に存在しないプラスチックは、微生物によって自然に分解されて土に還ることがない。海に漂うマイクロプラスチックは、魚類などを介して、巡り巡って人間もそれを摂取することになる。

一九世紀後半に発明されたセルロイドを嚆矢とする、ベークライト、ナイロン、ビニール等々の化合物は、硬い、強靭、軽い、軟らかい、光沢のある、といった有用な特徴を具えた新物質であり、それまで象牙や金属や陶器や木材やガラスや繊維などで作られていたモノの安価な代用品を提供しただけでなく、どんな形にも成型できる「可塑《かそ》性」という性質のおかげで、様々な新しいモノを生み出した(『人類を変えた素晴らしき10の材料』)。そもそも「プラスチック」とは、「可塑的」という英語の形容詞で、特定の物質名ではないが、日本工業規格によれば「高分子物質（合成樹脂が大部分である）を主原料として人工的に有用な形状に形作られた固体である。ただし、ゴム・塗料・接着剤などは除外される」（『世界史を変えた新素材』）。多種多様なプラスチックの画期的な特性については、それを扱った書籍に譲るとして、ここでは、何でも作れる可塑的物質の汎用性という点に絞って、もう少し考えてみたい。

話は土器の発明にまで遡る。世界最古の土器がどこでいつ作られたのかを言うのは難しい。時期は今から少なくとも一万数千年から二万年前か、場所は東アジアなどである可能性が高いが、起源地がひとつであるとは限らない。どこでも土と水と火はあったのだから、地球上のあちこちで、似たような過程を経て土器作りが始まった可能性もある。そうしたなかで日本列島の縄文土器は、かなり早い時期のものであることは確かだが、ここでのテーマは「最古の土器」ではなく、粘土という物質の画期的な可塑性である。石器は、岩石を打ち砕いて作るので、失敗したらやり直しが効かないし、そもそも作り出せる形にも制限がある。それに対して粘土を素材とするモノ作りは、やり直しが容易であるのはもとより、多様な形に成形できるだけでなく、火で焼くことによって堅固なモノを作りだすことができる。落とせば割れる、持ち運ぶには重い、といった弱点はあるにせよ、何でも作れる可塑性という点では、現代のプラスチックに匹敵するような画期的素材であったことは間違いない。

では粘土を成形し焼成して何を作ったのか。実用的な調理器具や保存容器はもちろんのこと、今となっては使用法が一目瞭然ではないモノも作られた。縄文時代に作られた「土偶」と総称されるモノも、そうしたモノの一例である。実に多様な形をしているが、その多様性を可能にしたのは、粘土という素材の可塑性である。石を素材とした岩偶もあるが、数が少ないだけでなく、形も単純である。つまり、イメージに物質としての形を与える際の制約が、硬い石に比べればはるかに小さかった。しかしそれでも、プラスチックの無限とも言える可塑性の前では、粘土には、とうてい勝ち目はなかった。

　ブラジル・アマゾンの陶器づくりの町イコアラシでも、一九六〇年代頃から、食器などの実用陶器は、安価なプラスチック製の量産品に太刀打ちできず、冷蔵庫の普及によって、飲料水を保存する壺や甕の需要も急速に落ち込んでしまった。しかし話はそれで終わりではない。***5***でふれたアマゾン河口のマラジョー島の真ん中の町外れの民家で、出土したマラジョアーラ文化の大きな甕棺が水甕に使われているのを見たことがある。プラスチック製のポリバケツが、赤道直下の日光に曝されていればボロボロに劣化してしまうのに対して、土器は日光に耐性があるだけでなく、気化熱によって水の温度を下げ、腐敗を防止する。「元祖プラスチック」の粘土製の土器の力量を侮ってはいけない。

16 さまざまな鉄——硬くて軟らかく脆くて強靭な素材

鉄とガラスとコンクリートなしでは近現代建築は不可能である。そのなかで、ここでは鉄をとりあげよう。鉄という物質は、機関車や自動車や機械や、線路や橋や工場や、大砲やロケットやロボットから、ナイフ・包丁や釘や針などまで、身の回りに溢れているので、良く知っているつもりだが、実はそうでもない。

そもそも現代社会を力強く支えている「鉄」とは、鉄と炭素の合金である「鋼鉄」(steel)のことで、これは自然に存在するわけではない。鉄(iron)そのものは、ふんだんにある。なんと地球は、重量の約三割が鉄の「鉄の惑星」なのである(『世界史を変えた新素材』)。しかしその大半は地下深くにあり、手近にあるのは鉄鉱石や砂鉄、そしてごく少量の隕鉄(鉄とニッケルの合金)であり、そこから分離した鉄を木炭の炎で上手に熱することができれば、微量(〇・〇二%〜二%)の炭素を含んだ強靭かつ硬い鋼鉄が手に入る。

鉄は人類にとって計り知れない恩恵(と災厄)をもたらしたのだが、化学者の佐藤健太郎は

「人類は鉄を利用して文明を発展させてきたというより、鉄の持つ性質に沿って、文明が発展してきた」のであり、人類はいまだに「鉄器時代」のさなかにいるのだと言う（『世界史を変えた新素材』）。たしかに鋼鉄で作った武器や道具や器具や機械、建築や橋梁や塔など、人間の生活におけるその役割を数え上げていったらきりがない。

一九世紀の半ばに、鉄から炭素を取り除いた上で微量の炭素を戻すという方法で、鋼鉄の大量生産が可能になったことで、鋼鉄という材料の利用が本格化する（『人類を変えた素晴らしき10の材料』）。鉄橋を架けまくった会社が請け負って、一八八九年パリの万国博覧会のために建設したのがエッフェル塔だが、記号学者のR・バルトは、「芸術家たちは、その反対請願の中で、エッフェルがあえて鉄を使って塔を建てることをひどく怒った。じじつエッフェルは、鉄を使うことによって建築家から技師への移行を象徴している」、そして「なによりもまずこの塔は、その存在そのものによって、古い造形美の観念に、それ以後新しい価値として人々の心をとらえる機能美の観念を対置したのである」と論じている（『エッフェル塔』）。

同じ論考のなかでバルトは、永続性と結びついた重い石と対比して「鉄の（象徴的な）価値は、重さにあるのではなく、エネルギーにある。なぜなら、鉄は強くて軽い物質だから」と書いている。鉄の軽さ。これは、石の建造物に取り囲まれてきた人々ならではの感覚で、木の建造物に慣れ親しんできた人々にとっては実感しにくかっただろう。鉄の軽さ。それを微かながら感じさせてくれる作品を作る、青木野枝という彫刻家がいる。私が最初に知ったのは、二〇〇六年の『縄文と現代』展（青森県立美術館）に出品された《空の水―Ⅳ》という作品で、ふぞろいの丸い小石状の黒い鉄球を数珠つなぎにして作った天幕の枠組みのようなモノが、台に置かれた火焔型土器の上方をふんわりと覆っていた。質量はあっても重力を感じさせない、弾丸としては役に立ちそうもない青木の鉄の小球は、その強さによって、じつは大きな空洞を生み出している。

鉄はおもいのほか多様で、性格も一様ではない。岐阜県関市の刀作りを研究した人類学者の青木啓将によれば「日本刀の材料に使われる和鉄は、さらに、「玉鋼」と「ナマ（生）鉄」に分かれる。「ナマ鉄」は、鋼よりも軟らかく、一般的に日本刀の芯となる部分に用いられる。これに対して硬い玉鋼は、刀の刃の部分に用いられる」（『現代日本刀の生成』）。この「強靭だが軟らかい低炭素鋼」と「硬いがもろい高炭素鋼」の違いを、日本の刀鍛冶は「見た目と、手に持った感じと、たたいたときの音だけで判断していた」のだという（『人類を変えた素晴らしい10の材料』）。

鉄の宿している潜在力と、それを引き出してきた先人の技たるや畏るべし。人間の「鉄器時代」は、まだ続いているどころか、実は始まったばかりなのかもしれない。

17 紡ぐ、綯う、編む、織る――絡み合う動きの生み出すカタチ

人類学者T・インゴルドは、独特の「ライン」論を展開している。彼が「ライン」の語で表そうとしているものが多岐にわたることは、『ラインズ――線の文化史』の序論の最初の一行「歩くこと、織ること、観察すること、歌うこと、物語ること、描くこと、書くこと。これらに共通しているのは何か？ それは、こうしたすべてが何らかのラインに沿って進行するということである」に明白だが、実は、これはまだ序の口であって、『ライフ・オブ・ラインズ――線の生態人類学』の第一章では「すべての生き物が一本のライン、あるいはよりよく言えば、ラインの束である」と述べている。彼の野心的な「ライン」論あるいは「ラインの比較人類学」については、本書でも色々な文脈で言及することになるが、ここでは、彼がとりあえずの分類として提示している二種類のラインのうち、「痕跡」(trace)ではなく「糸」(thread)のほうを取り上げたい。もちろん彼が言うように、一方は他方へ変形されうるものなのだが。

ここで言う「糸」とは、抽象的な直線でも、断片としての線分でもない。チェコの人形アニ

メーション作家ヘルミーナ・ティールロヴァーの、毛糸で出来た登場「人物」を思い浮かべてもらうのも一興だが、別にアニメーション映画にして動かすまでもなく、現実の世界においても、毛糸や紐や糸などの「ライン」が動くことでモノが生まれて命が宿る。あるいは、命あるものは動き、そこに「ライン」が生まれる。

「糸」の素材はさまざまである。動物由来の毛糸や絹糸、綿や麻やカラムシなどの植物由来、ナイロンやポリエステルやレーヨンなどの化学繊維もある。ここで、毛糸の編物を生み出す「ライン」をイメージしてみよう。まず羊などの動物が動き回って、生長した草を食べ、伸びてきた毛を刈って紡いで作られた毛糸が順序良く絡まって編物になる。解けばまた元の毛糸に戻り、また別のモノを編むのに使われる。このプロセスを微速度撮影して再生すれば、ティールロヴァーのアニメ作品のように見えるだろう。

糸は編むこともできるが、織ることもできる。考古学者尾関清子によれば、編物は「一本の糸またはひも状のもので編目（ループ）をつくりながら布状に編まれたもの」であり、それに対して織物とは「経方向に並列した糸、すなわち経糸と、これに原則として直交する糸すなわち緯糸とが交差しながら、所要の長さ、幅、厚みをもつ繊維製品となしたもの」ということになるらしい。要するに、編物とは、コードが絡まり合ったり、ロープや紐でモノを結索したりするのと同種のもので、全部が繋がっているのだが、織物は機《はた》という道具を用いて機織りされて作りだされた平坦な面であって、その幅と長さは糸の長さによって予め決まっており、縁に達すればそこで終わる。ついでに言うと、縄文時代に作られていた網布（アンギン）、つまり「日本最古の布」を尾関さんは復原したのだが、網布は「一本の緯糸を二本の経糸で常に縄状に絡めながら編み進み布状にする」もので、編物でも織物でもないという（『縄文の衣』）。

人間が編んで作るモノの一つの典型が、毛糸編みの帽子やセーターや手袋なら、いまひとつの典型は、竹などを素材とする籠や笊《ざる》であり、さらには魚籠《びく》や簗《やな》や網代《あじろ》そして壁や垣、家屋さえ竹を編んで作られる。こちらは解いて元に戻すことは想定されていない。切りそろえた素材を格子状編んでいく様は、経糸《たていと》と緯糸《よこいと》をくみ上げていく織物に似ている。

縄文土器の縄文とは、まず縄を綯《な》って「縄文原体」とよばれる断片を作り、それを押し付けたり転がしたりして、器の表面に施した文様だが、意図せずして残った痕跡もある。成形作業中の土器が載せられていた敷物の編目が、まだ固まっていない土器の底についてしまった跡である。その敷物自体は、僥倖に恵まれない限りは、腐って分解して跡形もなくなってしまっている。しかし植物繊維でできた「糸」が束の間まとっていた形が、別の「ライン」すなわち土器底面の「痕跡」に変じて数千年のあいだ命を長らえてきたというわけである。

18　裸の王様の衣装――子供には見えない豪華な素材

みなさん御存知の『裸の王様』という童話がある。着道楽の王様は、馬鹿者（と自分に相応しくない仕事をしている人）の目には見えない極上の生地を使った衣装を仕立てると言う仕立屋の口上を真に受けて、その生地がまったく見えないにもかかわらず、馬鹿者と思われることを怖れて、仕立屋の作業中見えるふりをしつづける。そしてついに衣装が出来上がり、城下で御披露目の行列をすることに相成るが、見物の人々も、王様の衣装がまるで見えないのに、馬鹿者であるとバレるのが怖くて、すばらしい衣装だと褒めそやす。ところが、ひとりの子供が「王様は裸だ！」と笑って叫ぶ。この物語の教訓は、体面を気にして見えない衣装を見えるふりをする大人と違って、無邪気な子供の濁りのない目が、王様は裸だという真実を暴露することができた、というものである。

しかし、その子供の方こそ大馬鹿者かもしれない。というのも、衣装とは物質であると同時に記号であるという社会的合意を、未熟な子供はまだ修得できていなかったということなのだ。

もちろん一般には、王様は希少素材をふんだんに使った、デザインも月並みではない、要するに王様以外は着ることができないような豪華な衣装を身にまとっているだろう。しかし重要なのは、「王様以外は着ることができないような特別の衣装」だという点である。この基準に照らせば、馬鹿者の目には見えない衣装は、常軌を逸した特別な衣装という意味で、王様の衣装としての条件を十分に満たしていることになるだろう。つまり、「王様は裸だ!」と叫んだ子供の目には見えていない素材によって仕立てられた衣装は、ありきたりではないことによって、無限の豪華さを表す記号となるのである。

王様を巧みに罠にかけた仕立屋は、馬鹿者ではないかもしれないが、王様や臣民が見ていた「素晴らしく豪華な衣装」を見ることができなかった。仕立屋にとっては、生地など最初から存在せず、それが存在するふりをしているにすぎないからである。ありもしない生地を使っての仕立て作業を演じることによって、王様や臣下や民衆を手玉に取っているつもりだが、実は、「王様が本当は衣装を着ていない」と思いこんでいる点において、「王様は裸だ!」と叫んだ子供と同様に、「衣装は物質的であると同時に記号である」という社会的合意を体得しそこなっているとも言えるだろう。

この点について、おなじように良く知られた『王子と乞食』という物語を補助線として考えてみると、何が見えて来るだろうか。こちらの話では、戯れに乞食と衣装を交換した王子が、衛兵たちに宮殿に闖入した乞食と見なされて追い出され、王子だと言い張っても信じてもらえず、狂人扱いを受けて、貧民として苦難の日々を送ることになる。他方、王子の衣装を纏った乞食は、周りから王子として扱われていくうちに徐々にその役割に馴染み始める。結末では、二人は元の鞘に収まり、王子は王として戴冠して大団円を迎える。

ここでも衣装が記号であることが重要なテーマとなっているが、こちらでは、着ている人間が誰であれ、記号としての衣装こそがアイデンティティを規定する。だから乞食であっても王子の衣装を着ていれば、社会的には王子になってしまうし、王子の衣装を着ていなければ、いくら「自分は王子だ」と言い張っても、取りあってもらえない。つまり臣下たちは、王子の衣装という記号に適切に反応しているのである。他方、裸の王様の場合は、着ている衣装そして素材が何であれ、王様が着ている衣装であれば「王様の衣装」なのである。たとえそれが、誰の目にも見えない透明な衣装であっても。

この二つの物語は、一見すると相反するようにみえて、教訓は共通なのかもしれない。それは、「王様は裸であるはずがない」そして「王子は乞食の服を着ているはずがないし、乞食は王子の服を着ているはずがない」という社会的合意が成立しなくなれば、王制は自明性を喪失し、王様が王様に相応しい人間であるかどうかが問われることになる、という教訓である。

19 畳むと開く——折紙、パッケージ、人工衛星の太陽光パネル

「老虎《ラオフー》」という名の折紙の虎がいた。拳を二つ並べたくらいの大きさの、包装紙で折られた「老虎」は、月並みな折紙の動物ではなかった。ジャックのためにそれを折ってくれた中国の田舎出身の母親が息を吹き込むと、本物の虎のように動き回り、吠えたのだ。そして、これも母親が折ってくれた山羊や鹿や水牛を追い回した。ケン・リュウの『紙の動物園』という物語に出て来るこの折紙の虎は、ぺしゃんこになれば、ただの折り畳まれた紙に戻ってしまうので、また息を吹き込んでやらなければならなかった。

折紙というものは、たとえそれが「老虎」のように走り回ったり吠えたりしなくても、手品のようにじつに不思議なものだ。ただの平たい紙が、予想もしなかった形の立体になる。そしてもう一度開いてしまえば、ただの平たい紙に戻る。それはどこか、毛糸が編まれて立体のモノへと成長し、ひとたび解いてしまえば、また元の毛糸に戻ってしまうのと似ていないこともない。共通点は、次元を超える変形であり、かつ可逆的変形だということだろう。

『なぜデザインなのか』という本に収録された対談のなかで、ベルリン在住の工業デザイナー阿部雅世が、ヨーロッパ人の身体が立体的なのに対して、東洋人である自分の身体は畳めば引き出しに入ってしまうようなものだと言っていた。これは立体裁断される彫刻的な欧米の服飾デザインと、糸をほどけば数片の平らな布に分解できて洗い張りすらできてしまう着物の違いにイメージが重なる。この着物のような平たい人間は、まるで「老虎」のように、畳まれると生動性を失い、息を吹き込まれると、魂を吹き込まれたように動き出すのかもしれない。折紙人間とでもよぼうか。そういえば、割竹を骨にして紙を貼った提灯も、畳まれているときは目立たないが、中のローソクに灯がともると生気を帯びる。これらのことや、日本のまともな店の店員が商品を包装するときの折紙を折るような手際も考え合わせるならば、「老虎」を折って命を吹き込むことが出来る母親は、やはり東洋生れが似つかわしい。

平面の紙を折り畳むだけで立体の形を与え、それを開いて元の平面に戻す。元に戻るためには切断してはいけない。仮に切り込みを入れて張り合わせたモノでも、ケーキなどを入れるパッケージのように、畳めるモノは折紙の仲間に入れてよいかもしれない。モノを収納するのにぴったりの箱になり、畳めば収納に場所を取らないデザイン。この「三次元を二次元に折り畳む」哲学と技術が効力を発揮する予想外の場面がある。人工衛星の太陽光パネルを宇宙空間まで運び、そこで展開するときである。宇宙にはスペースはふんだんにあるのだから、太陽光パネルはできるだけ面積が広い方が良いが、そこまで運ぶ間は、できるだけ嵩張らないほうが良い。しかし分けて運んだ部品を宇宙で組み立てるのは手間がかかる。そこで容易に、ミスなく、無理なく開く方法を考えたとき、折紙以上に有望な技術はないというわけだ。その筋で有名なものに、航空宇宙工学者の三浦公亮が考案した「ミウラ折り」というのがあって、このやり方で折り畳むと、四角の紙の対角線の両隅をちょっと引っ張れば開き、ちょっと押せば畳める。私が言葉で説明するより、動画で実物を見てもらう方が早いが、他にもさまざまな構造体を折紙によって設計する試みが行われており、関心がある方はインターネットで検索してほしい。

予想外のモノが予想外の場所に折り畳まれて収納されていて、それが手品のように展開する。もしかすると世界は、不注意な私たちの目につかないところで、言わば自然が折った折紙で満ち満ちているのかもしれない。すぐに思いつくのは植物の花や葉や芽で、なかでも固い蕾のなかに畳まれていた花が開く鮮やかさには驚かされる。例えば、桔梗の堅い緑色の蕾が、紫紺に染まりながら、紙風船のように膨らんだ挙句に、初夏のある日、四本の筋に沿ってきっぱりと五枚の花弁へと開花するように。

20 紙幣の物質性——御祝儀・御香典と貨幣経済

現代日本社会では、結婚式や御葬式に、御祝儀や御香典として紙幣を持参するのが通例である。それは明らかに現金であるし、式典の経費の足しになることも確かなのだが、貨幣では代用できないから、たんなる現金ではない。それに剝き出しでは失礼になるので、（普段遣いの封筒ではなく）しかるべき祝儀袋や香典袋に納めて手渡すことになる。つまり現金を現金としてではなく渡すというのがポイントである。さらに気をつけなければいけないことだが、御祝儀の場合は、あらかじめピン札（新札）を用意するのが礼儀に適っているのに対して、御香典はピン札ではいけない。不幸は予期せぬものであり、御葬式には、取るものも取り敢えず駆けつけるはずだからである。

ここでは、御祝儀用の紙幣について考えてみたい。なぜ「手の切れるような、シミひとつない」新しい御札である必要があるのか。金額だけが重要なら、どんな御札でも価値は変わらない。ということは金額も重要だが、それと同じくらい、あるいはそれ以上に重要な意味が「ピン札で揃えた御祝儀」には込められているというわけだ。御祝いなのだから新しい御札のほうが気分も良い。新しい門出に手垢のついたヨレヨレの古い御札はふさわしくない。こうした常識的な説明は、的外れなわけではないが、もう少し深いことが関係しているかもしれない。

この問題について考えるにあたって、インドネシアのスンバ島の社会に目を向けてみよう。人類学者のW・キーンが「お金はモノではない――あるインドネシア社会における物質性・欲望・近代性」という論文で取り上げているのは、二〇世紀後半のインドネシアで、伝統的な贈与交換のシステムにおいて重要な位置を占めていたモノのやりとりが貨幣のやりとりに移行していく局面、つまり貨幣経済が生活のさまざまな領域に浸透していく局面において、金銭というモノの物質性をめぐる軋轢が発生している状況である。そしてそれは貨幣経済が含意する「人間世界の脱物質化」という射程の長い問題にも関係している。そこで紹介されるエピソードは、一九八六年のある婚姻に際して、嫁方から婿方へ布が儀礼的に贈与され、それに対する婿方からの返礼が紙幣だったことに嫁の母親が「フォーマルな交換に現金を用いるのは不適切」と抗議し、「額を五倍にするなら承諾する」と申し出たケースである。ここからわかるのは、スンバ社会の儀礼的交換は、そこで交換される布が、実用性という使用価値とも、貨幣に換算できる経済的価値とも無縁だという了解の上に成立していたはずなのに、その安直な代替物として、貨幣経済とむすびついた経済的価値以外の何物でもない紙幣が使われたことによって、布というモノが担っていたさまざまな意味のうち、貨幣との交換価値という、この文脈では不適切な側面が前景化されてしまったということなのである。そしてその背景には、紙幣という物質的なモノが、売買や納税といった限られた領域だけでなく、広範な社会的場面で使用可能な汎用性のある道具へと変貌しつつあるという状況を見てとることができる。

日本社会でもかつては、婚姻に際して、同じ共同体のメンバーや親族などが、それぞれのやり方で、しかるべきモノやサービスを提供する互酬的交換が成り立っていた。そうしたモノやサービスが専門業者に外注化されはじめると、それとともに、関係者の関わり方も貨幣経済に巻き込まれていく。しかし、経済的援助と同義になってしまっているわけではない。そこで貨幣や剝き出しの紙幣ではなく、貨幣価値に還元できないモノを贈与するというフィクションの道具立てとして、いまだ貨幣経済の塵埃にまみれていない「刷りたての真っさらなピン札」が登場するのである。儀礼的交換のさいごの痕跡が、御札というモノの物質性だというわけである。それに照応するように「お返し」も、(できれば実用性と縁遠い)モノであることが望ましい。まちがっても取引や売買と誤解されては困るからである。

21 モノとしての絵画──物質としての絵具とカンヴァス

絵画とは何か。いろいろな定義ができるが、ここでは、イメージを二次元平面に物質化したものと考えてみよう。その起源のひとつが、フランスのラスコーやスペインのアルタミラなどの洞窟に遺された後期旧石器時代の「洞窟壁画」であることに、おそらく異論はないだろう。そこでは狩りの対象とされた野牛や鹿などが、まるで画家がいま絵筆を置いたような瑞々しさで描かれている。描かれた目的については、たいてい儀礼的あるいは呪術的な意味をもっていたのだろうと推測されているが、ここでは別の点に光を当ててみたい。その物質性である。描こうとする人の頭の中にあるイメージは、物質化されることによって初めて、他の人が見ることができるものになる。しかしそれには代価も伴う。どこに描かれるのか、どのような材料(土や鉱物や煤や脂などの)を用いて描かれるのか、そして描く技術がどのようなものかによって制約を受けることになる。「洞窟壁画」の場合、それが描かれるのは平坦で滑らかなカンヴァスではなく、凹凸のある洞窟の壁面や天井面である。それは確かに制約ともなるが、その形状を巧みに利用して効果を高めることも可能だし、実際それによって迫力が増している。

現代社会では、オリジナルの絵画作品よりも、その機械的複製を見る機会のほうが圧倒的に多いため、絵画が物質性を具えたモノであることを忘れがちである。機械的複製の場合、モニター上で再現されるにせよ、画集などの紙媒体に印刷されるにせよ、オリジナル作品のもっていた物質性のほとんどは失われてしまっている。例えばジョルジュ・ルオーの油絵の絵具の厚みを、印刷された複製で味わうのは難しい。

機械的複製によって失われる物質性と同様に見過ごされがちなのは、絵画作品が物質であるがゆえに被る経年変化である。作品は完成後あるいは製作中からすでに、経年変化に曝され始める。油絵を例にとってみよう。油絵の場合、システィーナ礼拝堂の天井に描かれたフレスコ画であるミケランジェロの《天地創造》のように建物の壁面と一体化しているわけではなく、取り外し可能つまりポータブルな点では、物質ゆえの桎梏が多少は緩んでいるが、だからといって物質でなくなっているわけではない。

絵画のもつ物質性について、F・ドミンゲス・ルビオの「オブジェとモノの間の不一致——生態学的アプローチ」という興味深い論考がある。そこで分析対象とされているのは、世界でもっとも有名な絵画のひとつであるレオナルド・ダ・ヴィンチの《モナ・リザ》である。結論を一言で言えば、《モナ・リザ》は、オブジェつまり芸術作品として不変の地位を占め、一定の評価、一定の価値と不可分に結びついているが、他方、それは物質を材料として作られたモノだということである。つまり、それは実在するモノがすべてそうであるように経年変化し、絵具が乾燥してひび割れたり、光に曝されて退色したりする。《モナ・リザ》の場合は、カンヴァスではなく木の板に描かれていて、しかも彼女の頭の上方に一一センチほどの皸が入っていて、一九世紀初頭以来、断裂する危険にさらされてきた。一五世紀半ばにレオナルドが描いた若い女性は「老化」し、顔中に細かい皺も現れている。そうした経年変化に対して、何世紀にもわたって修復が繰り返されてきて、ルーブル美術館では現在、光や湿度や温度などを慎重にコントロールした特別室に展示されている。

物質性を具えたモノとしての絵画は、不断に変化しつづける。それは少なくとも、人間が年齢を重ねても同一人物であるというのと同じ意味において同じ絵画なのであるが、じつは正確には、絵画と人間の間には違いがある。生物である人間については、成長し、成熟し、老化する存在であることが認識されている。オブジェとしての絵画について同じことが言えるだろうか。特に、その絵画にひじょうに高い価格がついている場合、あるいは値段をつけようもないほど価値があるとされる場合、「アンチエイジング」が施されて、自然がもたらす変化は隠蔽されることになるのは必然だろう。《モナ・リザ》は年を取ることが許されないのである。

22 効力はカタチに宿るのか――エッジが更新される紙や木の細工

神社や神棚の注連縄《しめなわ》に付けて垂らされる、稲妻のようなギザギザの形の「飾り」を見たことがあるだろう。白い和紙に切り込みを入れて折ったこの「飾り」は、榊と合わせて玉串を作るのにも使われるし、御幣《ごへい》の構成要素でもある。紙垂と書いて「シデ」と読み、空間やモノの神聖性や清浄性を徴づけるものとされているが、ここでは、その意味や役割については深入りしない。注目したいのは、新年を迎えるなど、暦の区切りに際して新調するという点である。

奥三河地方（愛知県）の十数の集落に伝わる「花祭」という祭事がある。それは、それまでの一年の無事に感謝し、冬至を機に新しく始まる一年の無病息災・五穀豊穣を祈願して（従来は旧暦霜月に催されていた）霜月神楽である。宵の口から翌日の昼まで一連の舞が披露される舞台である「舞庭《まいど》」が土間に設えられ、竈に大釜が据えられて湯が沸かされ、その上の天井から天蓋が吊るされ、四方には「ざぜち」という紙細工などが飾られる。「ざぜち」とは、半紙にさまざまな絵型を小刀で切り出したものだが、依り代《よりしろ》とされ、毎年新調される。

紙垂にしろ「ざぜち」にしろ、なぜ新しく作り直すのか。その理由は、一言で言えば、その特定の形が効力をもち、その形が崩れれば効力が弱まるという考えが根底にあるということだろう。ここで、ひとつの問いが頭に浮かぶ。モノの力は、物質に宿るのか、形に宿るのか。紙垂にせよ「ざぜち」にせよ、和紙という素材は重要な要件だろう。しかし、その素材そのものに何らかの力が備わっているわけではない。紙垂や「ざぜち」の効力は、紙という物質を用いて作りだされる特定の形に由来するのである。そして新たな神事・祭事にあたって新調されるのは、エッジを効かせて形をシャープにすることにあると考えるべきだろう。たとえ再使用が可能であるように見えても、そうした倹約はこの文脈ではお門違いである。使い回しでは、もはや本来の力が失われているからである。

新調を繰り返すことによって、形が崩れることを予め回避するという手法は、他のところでも観察することができる。もっとも良く知られているのが、伊勢神宮の「式年遷宮」だろう。同じ形の社を二〇年ごとに新調するもので、これまでに六二回更新されてきた。この慣習の根底にあるのも、物質的持続性は犠牲にしても、エッジの効いたシャープな形を維持するという思想であることはまちがいない。伊勢神宮のウェブサイト(https://www.isejingu.or.jp)には、「常に瑞々しいご社殿で、永遠に変わらないお祭りが行われることに大きな意義があります」、そして「式年遷宮では二〇年に一度社殿を造営すると共に、御装束神宝《おんしょうぞくしんぽう》も新しく調製して大御神に捧げられ、その種類は七一四種、一五七六点にのぼります」と記されている。更新されるのは社殿だけではないのである。

　この「更新」の思想に対立するのは、モノの力は形よりも物質に宿るという考え方だろう。そこでは、モノの同一性は物質的持続性に基礎をおいており、新調することは断絶を意味する。経年変化で形が摩耗したり破損したりして変化したとしても、物質としての連続性こそが効力を保証するという考え方である。もちろん伊勢神宮の「式年遷宮」でも「御神体」そのものは新調されるわけではないし、「花祭」の舞で最高位に位置付けられる「鬼の舞」で使われる鬼の面も、祭りのたびに作り直されるわけではない。つまり、「更新」の思想と「持続」の思想は、選択的に適用されていると言うべきなのだろう。では、「更新」の思想と親和性の高い領域というものがあるのだろうか。

　そこで思い当たるのは、紙垂や「ざぜち」の素材が紙であること、伊勢神宮の社殿が檜の素木で作られることである。ここでのポイントは、新しいということ以上に、まっさらなエッジなのだろう。これは紙と木という素材の特性と結びついた、ある種の形に特に価値をおく文化に特有のことなのだろうか。それとも、形を更新すること自体に価値を置くために、耐久性に劣る紙や木という素材があえて選ばれているのだろうか。

第三章

道具というモノ

23 住むための人間の家——動物の巣は家とよべるのか

人間なら家に住んでいるはずだと私たちは考えている。家ごと移動している遊牧民やキャンピングカー族や、毎晩段ボールの囲いを誂えるホームレスの人々も含めて、人間たるもの、生活の拠点としての家を設えて、そこに反復的に戻って来て寝るのが自然であると。さらに、洞窟や木の洞などを家に転用することはあっても、本当に人間らしい家とは、人間が家として製作したものであると、少なくとも現代社会で生活する私たちは思っている。

では、人間以外の動物は家に住んでいるのだろうか、いないのだろうか。動物といっても大型の哺乳類からミミズや昆虫まで幅広いので一括して論じるのは難しいが、いずれにしても動き回る動物が反復的に戻って来て眠る場所があるとすれば、それは通常は巣（あるいは寝ぐら）とよばれる。では巣は家ではないのか。たしかに、自然に存在する都合の良い「ニッチ」、例えば洞穴や岩の窪みや樹木の洞や茂みなどを利用しているだけで、家とよぶのは憚られる巣も少なくない。しかし他方で、人間さながらの家づくりとしか考えられないような巣もある。例えばビーバーが湖畔の水面に枝を積み上げて作った家は、天敵が侵入できない水面下に入口を設けた周到なものだが、さらに驚くべきことに、その湖そのものがビーバーがダムを築いて水を堰き止めて作ったラグーンだということもある（『建築する動物たち』）。ビーバー以外にも、シロアリの数メートルにもおよぶ高さの蟻塚や、鳥やハチの作る精妙なオブジェとも見える巣など、そのモノとそれを製作するプロセスを「家」そして「家づくり」と呼んでいけない理由は見当たらない。こうした「建築する動物たち」の仕事ぶりを見ると、まさに「生きものたちも建築家」と言いたくなる。

となると、人間の家（作り）と動物の巣（作り）は大して違わないように見える。それに異議を唱える向きがあるとすれば、動物の巣作りとちがって、人間の場合は設計図に沿って家を意識的に製作するというのが、その論拠だろう。つまり人間の家作りが、あらかじめ完成形をイメージし、それを適切な材料を用いて実現する計画的なプロセスであるのに対して、動物の巣は、いくら見事なものでも所詮、周到な立案・設計・施工ではなく、本能に導かれ、有り合わせの材料に依存した、無意識の行動の所産にすぎないのだと。

しかし、ここでふと思い出すことがある。私の中学入学の年、だだっ広い古い平屋の自宅を壊して二階建の普通サイズの家に建て直したとき、大工の棟梁さんは、二階への階段作りを弟子に任せずに、曲尺をあちこちに当てながら現場で蹴上の高さや床板の幅や形を調整していた。縮小された設計図通りに「杓子定規に」施工するのではなく、実物大の体が昇り降りしやすい勾配を実際の狭いスペースに収めるべく工夫していたのだ。同様のことを、中世ヨーロッパの教会建設における石工の親方の作業について、パッチワーク・キルトの比喩を用いて人類学者のT・インゴルドが指摘している。つまり人間とて、現場の状況や利用しうる材料と「相談しながら」建物を建ててきたのであり、使い勝手が重視される住宅の場合は特にそれが当てはまる。

それでもやはり、人間の家(作り)と動物の巣(作り)は違うという感じをぬぐえないのであれば、それは、いつからか大多数の人間が、住む家を自分で作るのではなく、他人に作ってもらう、さらには、他人が作った家をたんに購入するようになったからではないだろうか。そもそも、家に住むということが本来意味していたのは、家を自ら作って住むことであり、住み始めた後も家を作り続けることであり、それは、環境のなかに住み込んで生きることとの一環だった。それが、環境から切り取られた人工的環境としての出来合いの家を使用することにすぎなくなったことで、人間の家は、動物の巣と最終的に道を分かったのだろう。とはいえ実は動物の方も、家畜化されたことによってパラレルな道を辿ることになったのではあるが。

24 クモの巣という名の網――メッシュワークとネットワーク

芥川龍之介の小説に『蜘蛛の糸』という短編がある。生前に殺人や火付けなど悪行の限りを尽くしたため血の池地獄に落とされた犍陀多《かんだた》という盗賊がいて、彼を助けてやろうと思った天上の極楽にいるお釈迦さまが、極楽の池の蓮の葉にかかっていたクモの糸を、真っ直ぐ下の地獄まで垂らしてやる。それにしがみ付いてのぼってきた犍陀多がふと下を見ると、大勢の罪人たちが彼の後についてのぼって来る。「この糸は俺のものだぞ。……下りろ」と彼が喚くや否や、糸はすぐ上でぷつんと切れ、犍陀多は地獄に真っ逆さまに落下していった。それを見たお釈迦様は「悲しそうな顔をして」去っていった。

なぜクモの糸だったのか。それは犍陀多が生涯に一度だけ、踏みつぶしそうになったクモを殺さずに助けてやるという善行を施したことがあったからである。そうした縁もさることながら、この話では、クモの糸の脆くて切れやすいという性質が重要な意味をもっている。しかし何と言っても「極楽のクモ」の糸であるから、宇宙エレベーターの材料候補のカーボンナノチューブ並みの強度があるのかもしれない。だから多人数の重みに耐えることができたのであり、切れたのが素材の脆弱性ではなく別の理由によることは明らかである。

ここから先は、極楽や地獄を離れて、クモの糸そのものに光を当てたい。犍陀多がよじのぼったクモの糸はベタベタしていたのだろうか。それについては何も書かれていない。クモの巣には色々な種類があるが、私たちが良く知っている円く張られたものでは、獲物を捕えるヨコ糸は粘性があるのに対して、足場となるタテ糸はべたつかない。ところで日本語では「クモの巣」というが、居住用ではなくて捕食用の罠なので、「クモの網」と呼ぶべきだと専門家は言う。そしてこの網は、毎日律儀に張り直すらしい。クモが腹部末端から出す糸は、多種多様な目的のために使われる。ふだん歩いているときにも「しおり糸」とよばれる糸を出し続けるし、卵を包む「揺りかご」を作るのにも使われ、孵化した後も多数の子グモはしばらく共生していた挙句、「しおり糸」で数珠繋ぎになって木の枝先まで登り、糸を上昇気流に乗せて旅立っていくのだという(新海明「糸が紡ぐ世界」)。芥川は子グモたちのこの習性を知っていて「蜘蛛の糸」を書いたのだろうか。

ところでクモはほとんど目が見えないらしい。では「クモの網」に獲物がかかったとき、どのようにしてそれを知ることができるのだろうか。それは「網糸を伝わる振動」によるのだが、クモのこの習性に絡めて、人類学者T・インゴルドが「アリがクモに出会うとき」という小論を書いている。実はその論文では「アリ」(ANT)はActor Network Theoryそして「クモ」

（SPIDER）は Skilled Practice Involves Developmentally Embodied Responsiveness も意味しているのだが、それはそれとして、ここではクモにことよせてインゴルドが提示する世界像に注目してみよう。クモの網とクモの関係は、別々の部品同士が連結しているという関係ではない。蝶が飛ぶことにとっての空気、魚が泳ぐことにとっての水と同じように、クモの網はクモにとって、クモとして活動することを可能にする媒質であり、それにチューニングし、その変化を感知するスキルを育んでいくことが生きていくことだと言う。以前に書いた私自身の文章を引けば「自らが張った網にかかった獲物を蜘蛛は糸の揺れで感知する。そのとき蜘蛛と獲物は糸というモノを介して触れ合う、と言うより、蜘蛛が出した糸という媒質でつながって「振れ合う」のだ」（「触ると触れる」）。

さらにインゴルドは言う。世界はそもそも多様な部品の集合ではなく、糸筋（threads）や道筋（pathways）の絡み合い、言い換えれば、既存の点同士を繋ぐ「ネットワーク」ではなく、籠や編物が出来上がっていくような「メッシュワーク」なのだと。このように考えるなら、つねに糸を出し続けることがクモにとって生きるということであり、クモの網は、クモが編み上げた作品であると同時にクモが生きつづけている軌跡なのである。

25 車輪のための道／歩いてできる道――舗装された車道と高山の山道

人間の作りだしたモノには、自然界の動植物を模倣したものが少なくない。すでに存在して機能しているものには一定の合理性があるから、それを真似るのはエネルギーの節約になる。ところで、車輪というものには自然界に御手本がないらしい。渦巻き形は動物の体にも散見されるが、車輪で移動している動物というのは、寡聞にして知らない。だから新石器時代に人間が車輪を発明したとき、どこから着想を得たのかはわからないが、くるくる回る車輪というものが非常に効率の良いものであることは確かで、轆轤や風車や水車や糸車（糸紡ぎ車）、そして移動・運搬のための荷車や馬車や自転車や自動車のような乗物にとっても不可欠の部品となっている。

車輪とは、一言で言えば、軸を中心にして回転する円盤であって、相当時間連続して回転しつづけることによって仕事をする器具である。それを移動・運搬のために使えば、押したり引きずったりするのに比べて接地面との摩擦が非常に小さくなるので、必要な力も小さくてすむ。

しかし、車輪が本領を発揮できるのは、平坦な面を転がるときだけである。移動・運搬のための車輪は、長く続く平坦な路面とセットであり、それは何時でも何処でも変わらない。しかし平面といっても水面や雪面となれば、車輪は逆に足手纏いになる。水面や雪面では車輪なしの乗物、それぞれ舟や船、橇やスキーが理想的な乗物であるのは言うまでもない。車輪が実力を発揮できない状況は他にもある。デコボコ道、石ころや穴だらけの道、ぬかるんだ道、崖っぷちの細い道、急な坂道、洪水で水没した市街、凍結した路面、数え上げればきりがない。

現代社会は、車輪のついた車がどんな天候でも走行可能な道路網を至るところに張りめぐらすことを目指している。確かに広大な領域を単一のシステムの下に統御するためには、高速大量輸送が不可欠のインフラであることは、ローマ帝国の時代から変わらない。豪雨と日光が舗装道路を急速に劣化させていくアマゾンでさえ、ハイウェイが建設され、それを誰も訝しく思わない。しかし、ローマ帝国から、第三帝国の「アウトバーン」を経て、南北アメリカを繋ぐ「パンアメリカンハイウェイ」そしてアメリカ合衆国の「インターステート・ハイウェイ」に典型例をみるような車両専用道路は、人間が作りだしてきた実に多様な道のうち、ひじょうに特殊な一つのタイプにすぎない。

そうではない例としては、都市の小路から山中の山道まで、各種各様の道を挙げることができるが、ここでは、人類学者の古川不可知が『「シェルパ」と道の人類学』で描く、ネパールのヒマラヤ高地の道に光を当ててみよう。ネパールにも舗装された車道はある。そしてそれは世界の他の地域でもそうであるように、発展・近代性・国家を体現し、その導入回路と見なされる。しかし、そうした車道は、どこかで終わり、人やヤクなどの家畜が歩く道に変わり、その道はやがて「エベレストをはじめとする高峰の頂上へと続いている」(同書)。人が歩く道では、道の体験のされ方も、身体で体験される道の在り方も、車道とは大きく様変わりする。予め客観的に道が実在し、その舞台に人間が歩いて登場するのではない。「道は移動する身体に応じてそのつど別様に立ち現れる」(同書)。天候によって道は変化し、歩く人によって道は出没する。アマゾンのマラジョー島の平原でもそうであるように。「主体たる人間が客体としての道を認知しながらその上を歩くのではない。移動するに際して、いわば自己は道であり、道は自己なのである」(同書)。

高速で回転する車輪の上に乗って移動するという目的にとって理想的な道とは、出発点と到達点とを直線で結ぶネットワーク、支障なくできるだけ早く目的地に到達することを可能にする高速道路のような道であろう。それに対して、何万年にもおよぶ長い歴史のなかで人間が歩いてきた道は、インゴルドの用語を借りれば「メッシュワーク」だろう。あらかじめ完成済みのモノというよりは、編みあがっていく進行形の何かなのである。

26 伸びてもまた縮むゴム――硫化ゴムが開いた弾む世界

旧世界には存在しなかった天然ゴムをヨーロッパ人が初めて見たのは、コロンブスの第二回航海の際にカリブ海の島でゴム球に出会ったときだったが、それは現代の空気入りのよく弾むボールとは別物で、硬くて重い球だった。高分子化学の専門家こうじや信三の『天然ゴムの歴史』によれば、ゴムを産出する植物は二〇〇〇種以上あるが、現在の天然ゴムは、アマゾン河流域を原産地とするヘベア樹(*Hevea brasiliensis*)から採取されている。しかし、こんなにも多くの種類の植物が何のためにゴム樹液を作り出しているのか、専門家にもまだ不明なのだという。

天然ゴム樹液は、暑ければ溶けてベタベタするし、寒ければ硬くなる。アマゾンで私が買った天然ゴム製の河イルカのミニチュアも尾がポキリと割れてしまった。ゴムは、こうした手に負えない物質で、一九世紀に入ってイギリスでゴム引きレインコートが商品化されるまで、商業利用などとは縁遠い存在だった。それが幅広く利用されるようになったのは、米国人グッドイヤーによる加硫法(ゴムに硫黄を添加する方法)の発明(一八三九年)のおかげである。これによって、私たちが良く知っている弾性つまり伸び縮みする性質を、ゴムは獲得したのである。二〇世紀に入ると合成ゴムも開発されたが、実は天然ゴムは現在でもゴム生産の四〇％を保っている。その理由は、「伸長結晶化」（アモルファス材料でありながら、一定値以上の変形を受けると結晶化が起こって自己補強性を示す）能力を天然ゴムだけがもつからである（『天然ゴムの歴史』）。

説明が後先になったが、現在でもゴム用途の七割がタイヤ用であり、加硫ゴムの大量需要は、一九世紀後半の自転車そして一九世紀末の乗用車のタイヤ用だった。その需要を満たすため、ブラジルを始めとするアマゾン地方では、密林に点在するヘベア樹から樹液を採取するセリンゲイロの重労働に支えられた「ゴム経済」が成立し、アマゾンの都市ではゴム成金たちによる徒花《あだばな》的な「ゴムブーム」が花開いた。街灯、路面電車、オペラハウスと言えば、その贅沢ぶりがわかるだろう。ところが、一八七六年にアマゾンからヘベア樹の種を持ち出して東南アジア植民地でゴムプランテーション経営を始めた大英帝国が価格競争に勝利し、一九一〇年代以降、イギリスによるゴム生産の独占体制へと移行する。

現代の私たちの生活において、弾力があって伸び縮みするゴムは、ありふれた物質となっている。例えば、もし膨らむゴム風船というモノがなかったら、膨張する宇宙で銀河や星の間の距離が拡がっていく様子を説明するのは、思いのほか難しいかもしれない。輪ゴムやゴム手袋からゴム風船やゴムボール、そして空気入りのゴムタイヤなど、身の回りに溢れているゴムを取り除いたら、どのような世界が出現するだろうか。車による移動は、振動がひどくて苦痛に満ちたものになる。高速での長距離移動など誰も望まないに違いない。ゴム製の車輪がなければ飛行機の実用化も不可能だっただろう（しかしライト兄弟は自転車屋だったのに、一九〇三年に飛行に成功した「ライト・フライヤー」には車輪ではなく橇がついていた）。因みに、航空機のタイヤは、非常に過酷な条件に耐えなければならないので、合成ゴムではなく天然ゴムが使用されるのだという。

ゴムには困った面もないわけではない。ゴム特有の臭いを異臭と感ずる人は少なくないし、ゴム製造工場の悪臭や、廃タイヤの焼却による黒煙と悪臭などの問題もある。とはいえ、こうした問題はあっても、いまやゴムなしでは人間の社会は立ち行かないだろう。

旧世界には天然ゴムがなかった。そして、意外に思うかもしれないが、新世界には実は車輪がなかったのである。氷期が終わってベーリング陸橋が消滅して以来、往来が途絶えていた新旧両世界のあいだに、「大航海時代」とよばれる時代に交通が再開した。そこで生じた天然ゴムと車輪の出会いが人類にとって恩恵だったのか災厄だったのか。さまざまなことを考え合わせると、その判定は思いのほか難しいかもしれない。

27 翼をください――人間は鳥のように飛べるのか

「いま私の願いごとがかなうならば翼がほしい。この背中に鳥のように白い翼つけてください。この大空に翼をひろげ飛んで行きたいよ」と唄う『翼をください』という歌がある。空を自由に飛ぶことへの憧れをストレートに表した歌である。ところで、その飛び方であるが、歌詞は「翼はためかせ行きたい」と続く。つまり鳥の飛翔方法をまねて羽ばたくことによって空を飛びたいというのである。

現代に生きる私たちは、操縦桿を握っているか客席に座っているかの別はさておき、日常的に空を飛んでいるが、背中に付いた翼を羽ばたいて飛んでいるわけではない。ハングライダーやスカイダイビングなら多少は鳥に似ているかもしれない。しかし私たちが飛ぶ手段は基本的に飛行機で、それには確かに翼がついているが、鳥の羽とは随分違うし、羽ばたいていないことは明白である。

しかし空を飛ぶことを希求した人間は、古代ギリシャのイカロスから二〇世紀初頭のリリエンタール兄弟まで、「鳥のように」飛ぶことを試み、そして失敗し続けてきた。結局この方法では、グライダーまでしか到達できなかった。風に乗ることはできても、羽ばたいて飛び立つことができなかったのである。そして現在の飛行機は、揚力を羽ばたきに頼るのではなく、羽とは別に推進手段を用意したライト兄弟らの試みを元型としている。ここに、人間が飛ぶ方法についての基本的に異なる二つのコンセプトを見てとれる。鳥の飛び方を真似るか、鳥には学んでも真似ないで別の飛翔方法を考案するか。航空技術の開発史についてはこのくらいで切り上げて、全く別の飛行法へと目を転じたい。

第一は、「鳥装《ちょうそう》のシャーマン」である。奈良県の清水風《しみずかぜ》遺跡など、弥生時代中期の土器片の表面に刻線で描かれた、翼のような布状のものを纏って両腕を拡げた人間の様子が、天界と交通する祭祀を司るシャーマンだと推定されている。あくまでも推測にすぎないが、鳥の飛翔を模倣して羽ばたいていた可能性は高い。見える身体は地上に留まっていても、シャーマンの見えない身体は実際に空高く飛翔していたのだろう。

第二は、鳥と人間のキメラとでもいうべき存在である。「迦陵頻伽《かりょうびんが》」というインド起源の想像上の鳥がいて、上半身が人間で下半身が鳥で、両腕とは別に背中に生えている翼で飛ぶ。それが中国仏教では、同様に極楽浄土を象徴する鳥と考えられていた、「共命鳥《ぐみょうちょう》」という人間の頭が二つ付いた鳥と結びつく。それが宋代頃から、両手で楽器を奏でながら、ショールのような天衣を靡かせて飛ぶ「飛天」と同類とみられるようになる。

レリーフや絵画で描写された「迦陵頻伽」や「共命鳥」を見ても、それが翼を羽ばたかせたのか、ハングライダーのように翼で滑空しただけなのかは不明であるが、天衣だけで飛行する「飛天」や「天女」と違って、翼がなければ飛べなかったことは確かだろう。こうした有翼の存在を天上界からのメッセンジャーだとする解釈が正しいとして、降下してくるときは滑空してくれば良いが、離陸して上昇するには、羽ばたく必要があったはずだ。あるいは気流に乗って旋回するだけで着陸はしなかったのだろうか。

鳥類の飛行の起源については、「地上での走行」から始まったとする「地上起源説」と「樹上での滑空」から始まったとする「樹上起源説」が対立していて、現在のところ「WAIR」（翼に補助された傾斜走）という仮説が両者を統合できるものとして有望視されているらしい（『羽』）。確かに、鳥と同様に人間も、空を飛ぼうとすれば、地上での静止状態から離陸しなければならない。そして、鳥や「迦陵頻伽」の翼が生まれつき装備されたものであるのに対して、人間がいくら精巧に模倣した翼を背負ったとしても、羽ばたいて身体を浮揚させるための機構が、人間の身体には欠けている。要するに、人間が静止状態から離陸して飛び立つためには、鳥や「迦陵頻伽」にとっては不要の、エンジンなどの推進手段がどうしても必要になるのである。

28　羽衣という道具——変身機能と飛翔機能

能に『羽衣』という物語がある。元型となる伝説は『風土記逸文』(近江国、駿河国、丹後国)にも記されていて、概要はつぎの通りである。天女たちが天から降りてきて、松の枝に羽衣をかけて水浴をしていた。それを見た男がその一枚を隠し、帰ろうとする天女が返してくれるよう頼んでも拒む。他の天女たちは飛翔し去ったのに、その天女はしかたなく残り、男と夫婦になり子供を産む。後に羽衣を発見した天女はそれを着て天に帰った。

詳細については異同がある。近江では、天女は「白鳥となって天から降り」た。駿河では子供の話はなく、女が「羽衣を取って、雲に乗って去った」後、男も「仙人となって天に登った」という神仙思想の飛仙のような色彩が加わる。丹後では、水浴をするのが海辺ではなく山頂の井で、衣装を隠すのは老夫婦で、天女は結局天には戻れない。能の『羽衣』では、羽衣はすぐに返却され、所望された舞を披露したのち、天女は天上に昇っていく。

この伝説・物語について新解釈を提案するつもりはない。考えてみたいのは、羽衣という物質のもつ変身機能と飛翔機能についてである。変身機能とは、羽衣を身にまとうことで形姿を変貌させる機能のことを指す。近江の「白鳥となって天から降り」という記述は、飛翔中は白鳥で、着陸して水浴のため羽衣を脱いだ時点で人間の女の姿になったと読めるが、他の伝承は、羽衣の着脱にともなう外見の変容にはふれていないので、白鳥は付け足しとも考えられる。だが中国の『捜神記』には、「毛の衣を着ていて、鳥か人間かわからない」娘たちが登場する「羽衣」と同型の話もあるので、逆に、鳥との結びつきのほうが元型なのかもしれず、そうすると「色香妙にして常の衣にあらず」などと形容される羽衣だが、元は「鳥の毛衣」かもしれない。羽衣の素材が何であるにせよ、そこにあるのは、衣装によって変身が可能になる「衣の思想」とでもいうべきものである。

ここで羽衣の変身機能に注目するのは、南米の先住民文化にひろくみられる「パースペクティヴィズム」(72)と呼ばれる考え方と重なる部分があるからである。それによれば、動物種のそれぞれは別々の「身体＝行動様式」をもつので、それぞれ別の「パースペクティヴ」をもち、それゆえに生きている「世界」も別々になる。普通の人間は人間の「世界」だけで生きているが、シャーマンは、例えばジャガーの「身体」を身にまとい、ジャガーの世界でジャガーとして生活することもできる。この考え方に即して見れば、羽衣をまとった天女は人間から見れば白鳥にみえるが、羽衣つまり白鳥の身体を脱げば、人間と同じ姿で人間の目に映り、羽衣を着ればまた白鳥の姿に戻るということになる。

つぎに飛翔機能。これは自明のようにみえるが、検討すべき点はある。まず天女は、27でふれた「迦陵頻伽《かりょうびんが》」のような鳥の飛翔能力をもつキメラとは違う。羽衣は、鳥のように羽ばたくための羽ではなく、あくまでも衣装である。この衣装を装着すれば飛行が可能になるという意味では、潜水服や宇宙服のような、それを着た人に特別な性能を付与する装備だと考えるのがよいだろう。しかし、誰でも羽衣を着れば、空を飛べるようになるわけではないので、飛翔するためのたんなる道具ではない。この文脈で、さきほどの変身機能とのむすびつきが生まれる。つまり羽衣は本来の持ち主だけを飛翔能力をもつ天女へと変身させることのできる衣装である。第二の皮膚と言えるかもしれない。

天女の羽衣の類似品として、例えば飛天が棚引かせている天衣があるが、飛天はおそらく天衣なしで飛べる。翼ももたず、鳥の姿でもなく、人間の姿のまま、仏を讃えて空を舞い、楽器を奏で、花を撒いている飛天は、古代インドで生まれ、中国仏教の世界に移ると、道教の「神仙」や「仙人」と混ざり、日本では法隆寺金堂壁画などで飛翔している。

最後に、羽衣をめぐって気になる問いをひとつ。そもそも天女は、なぜ羽衣を脱いでいたのだろうか。水浴をしていたのだから当然という答には、私は納得していない。

29 揺れるための道具――ハンモック、ブランコ、揺り椅子

アマゾンの船旅の必需品はハンモックである。それに加えて、私が初めて河口のベレンからおよそ三日かけて中流のサンタレンまでアマゾン河を遡った時に教えてもらったように、「ハンモックを手摺りに括りつける短い縄二本」も必需品である。アマゾンでは、船の上にかぎらず、田舎でも町でも庶民の寝具はハンモックが基本なのだが、日本に帰って来てハンモックがいかに快適か説明しても、なかなか分かってもらえなかった。どうも皆さんがイメージするのは、リゾート地の玩具のような代物で、しかも使い方が間違っている。先住民のハンモックは網だが、庶民の実用ハンモックは丈夫な木綿織で、幅は広く、ダブルサイズのものもある。そして寝方だが、「斜交《はすか》い」に横たわれば、海老のように腰折れることはない。さらに吊る高さだが、潜水艦や戦艦の水兵さんの寝床のイメージが強いのか高所に吊ると思っている人が多いが、腰かけられるくらいの高さがベストである。風通しのよい軒先で、すべてが適切にアレンジされたハンモックで昼寝をしたら、もうベッドなどという不細工なモノに未練を感ずること

はないだろう。そのハンモックの最大の長所は、言うまでもなく、揺れることである。あの心地よい揺れが身体に思い出させるのは、おそらく小さいときに抱かれたり負ぶわれたりしていたときの記憶ではないかと思う。ハンモックに包みこまれる感じは、さらにその前の子宮の中の日々の再現のようでもある。

人間がその上に乗って揺らすことによって自らも揺れるための道具というのは、色々ある。誰もが一番なじみがあるのはブランコだろう。映画『生きる』で市民課長の渡辺が腰かけて「ゴンドラの歌」を口ずさみながら静かに揺らすブランコから、幼児が立ち乗りで元気よく漕ぐブランコまで、利用法はさまざまだが、スピードを増せば、身体の移動が視界の移動とシンクロして、言わば天と地の間を往復し、浮遊感そして飛翔感をもたらす。ブランコが遊具となる前には宗教的含意をもっていたとの報告も世界各地から寄せられているが、その場合には、ある種のトランス状態と結びついていたかもしれない。

社会学者のR・カイヨワは『遊びと人間』という著作のなかで、「遊び」を、「アゴン」（ギリシャ語：試合・競技）、「アレア」（ラテン語：さいころ・賭け）、「ミミクリ」（英語：真似・模倣・擬態）、「イリンクス」（ギリシャ語：渦巻）の四種類に分類している。要するに「遊びにおいては、競争か、偶然か、模擬か、眩暈か、そのいずれかの役割が優位を占めている」という見立てだが、このうち「イリンクス」に注目してみると、それは「一時的に知覚の安定を破壊し、明晰であるはずの意識をいわば官能的なパニック状態におとしいれようとするもの」であり、「充分高くあがった場合のぶらんこ」はカイヨワが言うように、その好例だろう。ところで知覚や意識を混乱させることが、どうして「遊び」になるのだろうか。まず「非日常性」である。私たちの日常は、自分の周囲を静止した舞台として認識しつつ、そのスペースに自らを定位することで可能になっている。内耳の奥にある三半規管によって支えられた安定した世界を流動化させるのが、ブランコのような遊具や、旋回する遊びで、さらに激しくするとジェットコースターやバンジージャンプなどになり、それを穏やかにしたものがハンモックであり、さらには揺り椅子そして揺り籠ということになるだろうか。

しかし単に、激しさと穏やかさの軸に沿って、これらのものを並べるのでは、なにか忘れている感じがする。それはおそらく、ブランコやハンモックや揺り椅子で揺れる体験に含まれている「反復・往復」という要素ではないだろうか。それは旋回や落下が引き起す急転直下の眩暈やトランス状態と違って、単調な「行ったり来たり」の繰り返しによって引き起こされるリラックスした気分であり、その鎮静効果ゆえに、私たちは、別のタイプの非日常性の底へと沈潜していくことになるのである。

30 調理に使えない調理用の土器——容器の性能と美的価値

アメリカ合衆国南西部を舞台に、かつてはアメリカンインディアン、今ではネイティヴ・アメリカンとよばれる先住民族の人々の生み出した器物が、一八六〇年頃から一九三〇年頃にかけて、東部の博物館や上中流階級のコレクターによって大量に蒐集された時代があり、そのなかで「伝統的アメリカンインディアン・アート」なる範疇が発明された。一言で言えば、先住民社会に対する壊滅的破壊が進行する一方で、「滅びゆく文化」の品々が民芸品として一網打尽で持ち去られ始めたのである。

そうした蒐集の「主戦場」のひとつとなったプエブロ社会の村のひとつ「サン・イルデフォンソ・プエブロ」では、マリア・マルティネスという名の土器つくりの女性が夫とともに考案した漆黒の光沢をもつ土器が、美術蒐集家たちの間でたいへん評判になった。しかし、それは代価も伴っていた。プエブロの土器作りについて調査した人類学者R・ブンゼルは、水漏れして実用には耐えないと評した。後に同じ地域の土器について調べた徳井いつこによれば、高温で焼成すれば保水性は高まるが光沢は失われてしまうのだという。つまり飾るための美術品を望む顧客の要望に応えた結果が「使えない器」を生んだのだが、そのおかげでマリアは陶芸家として有名になった。

似て非なる状況を、考古学者L・S・マクチェスニーの論文が報告している。それによれば、一九九一年の「プエブロ・インディアンの土器――１５００年の伝統と革新」と題されたシンポジウムで、「アコマ・プエブロ」の土器つくりのメアリ・ガルシアが彼女自身にとっての土器の意義を問われて、「実は、私の器は電子レンジで［調理に］使えると言うことができます」と答えたのである。マクチェスニーは、自分も含めて出席していた美術史家・人類学者・美術商・蒐集家たちにとって「いまだに調理という日常的な仕事に使われると想定されていること」が驚きだったと告白している。

本来は調理用の土鍋として作られ日常的に使われていた土器が美術品として蒐集の対象となったとき、まったく別の評価基準が導入されて、日常的に使うことが想定外の（場合によっては常軌を逸した）行為になってしまったというわけである。つまり実用的性能の点で高品質の土器を作ることより、美しければ水漏れしても構わないと考える「蒐集家＋鑑賞者」の要求に応えることのほうが、経済的な見返りが大きいという状況が出現したとき、作り手が何を重視するはずのかという問題である。別の言い方をすれば、水を入れたり電子レンジで使ったりするはずのない顧客に売るのだから、外見が美しければ、調理器具としての品質については気にしなくてよいと割り切れるのかという矜持の問題でもある。

プエブロ社会のなかで、マクチェスニー自身が調査している「ホピ・プエブロ」と「ホピ・テワ・プエブロ」の、とくに年配の土器つくりの女性のなかには、蒐集家たちが望む土器は「装飾的すぎて、完璧すぎる」と考えていて、調理など日常の用に供するための、もっと粗い仕上がりの土器を作りたいともらす者も少なくない。料理、とくに豆は、そういう鍋のほうが美味しくなると言うのだ。前述のメアリ・ガルシアの「電子レンジで使用可」の主張は、こうした意見と対立するようにみえるが、実はそうではない。彼女は、現代アメリカ社会における「プエブロ土器」の価値は、装飾品としての価値にとどまらず、調理器具としても優れているのだと言っているのである。

この問題に正解があるわけではない。結局は、ネイティヴ・アメリカンの人々のアイデンティティと彼女らの作るモノの価値が外部の人々との関係のなかで「交渉」されることになるのだが、確かなことがひとつある。プエブロの人々の土器作りの例にかぎらず、道具が本来の用途や性能とかけ離れた価値、たいていは「美的な価値」を基準に再評価されはじめるとき、物質についての長年にわたる真摯な研究の結果たどりついた「ハイテクノロジー」が、気づかれることもなく消滅し始めているのである。

31 ミニチュアは何の道具か——玩具、祭祀具、それとも？

縄文土器のなかに、ちゃんとした器の形をしていながら著しく小さいものがある。博物館や資料館でも「ミニチュア土器」のキャプションを添えて展示されていて、玩具あるいは祭祀用（儀式用）かもしれないといった説明がつけられていることもある。確かに子供が土器作りの真似事をしていたと想像すると微笑ましいし、稚拙な出来上がりのものもあるので、その可能性はある。しかし小さいながらも器形や文様の特徴を適確に捉えて再現しているものも多いことなど考え合わせると、土器を作る技量のある大人が敢えて作ったミニチュアが相当数含まれているという感じがする。では仮にミニチュアだとして、何のために作ったのだろうか。祭祀用（儀式用）だと考える人も多い。例えば青森県の三内丸山遺跡では、「主に祭祀と関連があると考えられる盛土から出土し、土偶や装身具と一緒に出土する傾向にあることから、何らかのまつりや儀式に使われた可能性」があると指摘されている（「ジョウモンのカタチ」『ＪＯＭＯＮＦＡＮ』 https://aomori-jomon.jp/essay/?p=5034）。

ところで、こうした土器に「小型土器」というキャプションを添えている展示もあるが、実は「小型」と「ミニチュア」では意味が違うので区別したほうがよい。前者はたんにモノのサイズつまり大きさのことを言っている。それに対して後者は、モデルとされているモノの縮小模型という意味であり、「ミニチュア土器」の場合であれば、モデルは明らかに通常の大きさの土器である。

しかしこれが土偶の場合だと話はそう簡単ではない。土偶は、これまでに二万点ほど出土している縄文時代の遺物であるが、大きさもデザインも多様であるのに「土偶」と一括して呼ばれ、人間とくに女性を表現したモノだという解釈が一般的である。しかし異論もある。あまりに「人間ばなれ」したものも多いからで、例えば考古学者の小林達雄は、人間ではない「ナニモノカ」を表したものであると説く。土偶はミニチュアであると言ったり書いたりしている考古学者も多いが、おそらく標準的な人間と比べれば小さいという意味なのだろう。しかし、それが人間をモデルにしているという確証がない間は、安易にミニチュアつまり縮小模型と言わないほうがよい。もし非常に小さく人間の目に見えない精霊を表しているのであれば、土偶は縮小模型ではなく、拡大模型である。

ことのついでに言えば、奈良の東大寺の大仏はミニチュアだというのが私の持論である。再建された現存のものでも座高が約一五メートルあるので、確かにサイズは大きい。立ち上がればお釈迦様の身長(丈六)の一〇倍になろうという大きさである。しかし奈良の大仏は、毘盧遮《びるしゃ》那仏《なぶつ》という種類のもので、実在の釈迦の身体を模したものではなく、「真の教え」という途轍もなく大きなものを表現した法身仏なので、その縮小模型すなわちミニチュアだというのが私の解釈である。

話を「ミニチュア土器」に戻そう。仮に祭祀や儀式に使われたモノであるとして、なぜ小さいのか。三内丸山では土偶や装身具とともに出土するのはなぜなのか。実は「ミニチュア土器」というのは、弥生時代や古墳時代の遺跡からも出土している。用途は多様だと考えておくほうが良いだろう。そこで思い浮かぶのが「ドールハウス」とよばれるミニチュアの建物や部屋だが、その中に据えられた人間や調度品は、同縮尺の模型である。その論理に従えば、「ミニチュア土器」のあの大きさが適切なサイズである世界と、あの大きさに相応しい使用者が想定されているのだろう。

二〇一〇年にイギリスのイーストアングリア大学で開催された『出土したもの』(Unearthed)展では、縄文土偶とバルカン地方の新石器時代の「土偶」を、ミニチュアのフィギュアなど現代のモノと並べて展示した。そのときに出版された書籍には、「世界には、もののスケールが複数存在する」、そして「ミニチュアのモノは、私たちの通常の参照領域から私たちを引き離す」と書かれている。ミニチュアの縄文土器も、それを手にした人々を日常から引き離し、そして別のスケールの世界へと誘ったのであろう。

32 離れたものをつなぐ技術――見えない物理的接触がはたす役割

私たちはグローバリゼーションの時代にいると言われていたが、新型コロナウイルスのパンデミックの渦中にある現在(二〇二〇年)から振り返れば、グローバリゼーションの今後は急速に不確かなものになっている。グローバリゼーションとは、地球という惑星の上に暮らす人々の生活が、複合的かつ緊密に結合して、もはや後戻りができないほど相互依存している状況を指す言葉だが、その開始時期を正確に言うことはむずかしい。地球全体に広がっているホモサピエンスの祖先がアフリカ大陸を出立した数万年前に始まったということもできるが、大航海時代、植民地主義・帝国主義、近代化、世界大戦をへて、ソ連の解体による「東西冷戦」の終結とインターネットで本格化したというのが、教科書的な説明である。それを可能にしたテクノロジーの面からグローバリゼーションを照らし出せば、帆船・蒸気船・飛行機という移動手段と、電線そして電波による通信手段がその主たる牽引力だった。その結果、人とモノとカネと情報が国境を越えて、世界を股にかけて行き交うようになったのである。

それは人々の生活を豊かにした反面、犯罪やテロリズムや感染症のような危険もグローバルになった。そして「新型コロナウイルス感染症」（COVID-19）である。振り返って見れば、一九七〇年代末の「後天性免疫不全症候群」（AIDS）にはじまり、二一世紀に入ってからの「重症急性呼吸器症候群」（SARS）そして「中東呼吸器症候群」（MERS）と続いた感染症流行の最新版であるにすぎない。どれもがウイルスによるものだが、細菌と同様に肉眼では人間に見えない。生物である細菌は光学顕微鏡で見えるが、ウイルスは生物ではなく、（巨大ウイルスという例外を除けば）電子顕微鏡でないと見えない。

人に感染させるためには、ウイルスは体内に侵入する必要がある。つまり地球規模のパンデミックであっても、インターネットを介して感染するコンピューターウイルスではないのだから、物理的な接触が不可欠である。つまり、バケツリレーのように直接の受け渡しで感染するので、感染経路を辿ることができるはずであり、だからこそ「社会的距離」（social distance）の維持が感染防止に有効になると新型コロナウイルス感染拡大初期には言われていた。だが、後にはより適切な「身体的距離」（physical distance）の語に置き換わっている。満員電車で隣にいる赤の他人との「社会的距離」が無限大ということは可能だし、「身体的距離」が一万数千キロの地球の反対側にいて「社会的距離」ゼロの相思相愛の仲というのも可能だからである。

ところで、ここで考えてみたいのは、「テレ」（tele）という接頭辞が付くテクノロジーと物理的接触の関係である。人間は郵便や電信や電話やインターネットなど遠隔地との通信の技術を開発してきた。モノである郵便は現在でも手渡しで届く。私がアマゾンで調査をしていたとき、ミャンマー（当時はビルマ）で調査をしていた友人に手紙を出したことがあるが、どこを通って行ったのか届くのに半年かかった。電話はかつては電話線で繋がっていた。一九八〇年代のブラジルと日本の間の通話は微妙に遅れがあって衛星との通信みたいだったが、一体どこを経由していたのだろう。インターネットなら通信衛星経由かと言うと、実は基本的に海底ケーブル経由なのである。こんな具合に、物理的接触を伴わないつながり方の比重がかつてないほど高まっている一方で、ウイルスの感染にしても、インターネットにしても、裸眼では見えないか、見ることは可能でも実際には目の届かない経路を通って繋がっており、グローバリゼーションという言葉が与える印象と裏腹に、そこではまだまだ物理的接触が重要な役割を果たしている。

人類史上、長い間、遥か遠くの未知の土地や見えない世界との「交信」は、シャーマンとよばれるような人たちが担っていた。むしろ電線やケーブルなどを介した物理的接触に頼っていないという意味では、彼らこそ、厳密な意味で、テレパシーやテレポーテーションやテレヴィジョンやテレコミュニケーションの専門家だったと言えるのかもしれない。

第四章
いろいろな体

33 私たちの体の中の宇宙——至近距離にある不可視の世界

私たち人間はまだ、物質的身体から脱皮して、意識だけの存在へと進化してはいない。遠い将来に、それが可能になる日が来るかもしれないが、それが実現したあかつきには、もう人間ではなくて何か別のものだろう。近未来には、脳内の全情報をハードディスクに移すことができる日が訪れるかもしれない。しかし当面は、各自にあてがわれた身体に繋ぎ留められて人生を送るという様式から逃れられない。ジワジワとサイボーグ化していることは確かである。眼鏡、コンタクトレンズ、補聴器、入れ歯から、義肢や義足、人工関節やペースメーカーを経て、さらに身体機能をアップするような器具が身体に付加されていく。ICチップの埋め込みはもう始まっている。しかしそれでも、いま生きている私たちの存命中は、肉体は人間にとって不可欠のものでありつづけるだろう。

そんなにも大切な自分の体なのに、その内部の構造や機能について、どの程度何を知っているだろうか。どのような器官・臓器がどこに位置して、どのように繋がり合って、どのような役割を果たしているのか。触った感じはどうなのか。どんな色合いをしているのか。私が愛読している『ぜんぶわかる人体解剖図』というイラスト満載の解剖学のテキストがある。それを見て頭では理解したつもりでも、自分自身の体の内部と対応させるのは、思ったほど簡単ではない。何十年も生きていれば、学校で教わったこと以外にも、体調をこわして身をもって学んだことも多いだろう。私自身、変調をきたした臓器については妙に詳しくなったが、幸い問題が起きていない器官については良く知らないままである。

唯一無二の自分の体の内部であるのに、「それが見えないのを良いことに」なのか、「それが見えないのに不安も感じずに」なのか不明だが、ほとんど何も知らずに多く人びとが平気で生きていることに、正直なところ驚く。しかし、この「平気で生きている」というところにこそ、「生きているということ」の本質が存するのかもしれない。つまり人間の体というのは、基本的にメインテナンス・フリーであるのが普通で、日夜チェックして整備しないと機能しないようなモノとしては作られていないのだろう。そして今ほど長生きしなかった時代、ということは人類の歴史のほとんどということだが、現代の高齢者が日々体験するような体の不調に直面する人は、おそらく著しく少なかったのである。もちろん内側は見えなくても、皮膚に発疹が出たりすれば目に見えるし、骨が折れたり、炎症が起きたりして生じた痛みをはじめとして、体の中で起きていることを感じることはできる。それは今も昔も変わらない。そしてそれが何の変調なのかについての知識は、この二〇〇年くらいの間に飛躍的に増加した。しかし私たちのようなシロウトの場合、自分が感じている異常がどの器官に由来するのかは当て推量で、しばしばおそろしく見当外れである。ここで図らずも書いてしまった「シロウト」という言葉に、ちょっと当惑している。私たちは、生まれてこのかた離れたことのない自分の体の内部で進行していることに対して、なぜ「シロウト」なのだろうか。だが、今ではそれは止むを得ないことなのだ。命にかかわる変調であればあるほど、クロウトに「お任せする」しか術がないのである。

信じられないくらい薄い表皮の下の私の体の内部は、まさに至近距離、すぐそこにあるのに、それはまるで何光年も離れていると思えるほど、未知の世界なのだ。そして何時かはわからないが、将来のある日、全体が協働して繋がりあって機能していた私の体は、その働きと動きを停止する。その致命的な瞬間においても、生きていたときと同様、自分の体の内部を見ることはできない。私が生命をもつ存在として生き続けてきて、そして今のところ生き続けているために、たえず私と結びついていたモノである私の体の内部は、まるで別の宇宙のように、いつでもとても遠く、視界の外にありつづける。

34 血のめぐりと血のつながり——循環する血液と受け継がれる「血」

赤い血を目にして、心穏やかでいるのは難しい。それは、ただならぬ事態を示す指標(index)である。「血」という言葉を聞いたり読んだりしただけでも、何か落ち着かない気分になるが、この語が生き死にに関わる物質を喚起するからだろう。血液という物質が、いつでもどこでも同じように理解されていたわけではないが、大量の出血があれば生きものは死ぬ、つまりあの「赤いもの」が生死を左右することについては、かなり昔から普遍的に認識されていただろう。その一方で、「血」は、文化によって著しく多様な意味を背負わされてきた。

そもそも動物には、例外なく血管があって、血が流れているわけではない。血が赤いのは、血液の四〇%にあたる赤血球に含まれるヘモグロビンの色であり、その役割は、体中の細胞に酸素を配達することだが、それはヒトのような脊椎動物の場合である。実は体長一ミリ以上の生物が生きるためには、体内の全細胞が体表面から一ミリ以内に位置している必要がある。酸素補給のためだ。しかし生物のサイズが大きくなると、酸素補給の別の方法が生まれる。体中に血管を張りめぐらせ、体の内奥まで体表面を延長するという方法である（*Why Size Matters*）。

その血液がどこからどこへ流れているのか、長いことよくわからなかった。血液が心臓から出て動脈を通って全身をめぐり、静脈を通って心臓に戻り、それから肺に行って、再び心臓に戻るという「血液の循環」という事実を証明したのは、ウィリアム・ハーヴィーだが、彼が解剖と実験にもとづいて『動物の心臓と血液の働きに関する解剖学的研究』（一六二八）を著した後も、動脈系と静脈系が毛細血管網で連結していることを一六六一年に顕微鏡を用いてマルセロ・マルピーギが発見するまでは反対者もいたのである。

ところで、「高貴な血統の生れ」を意味する「ブルー・ブラッド」（blue blood）という英単語がある。一説によれば、イベリア半島を褐色の肌のムーア人が支配していた時代、キリスト教徒の白人との間に混血が進行する中で、王侯貴族は白い肌に血管が青く透けて見えることを誇りにしていたことに由来するのだという。ここでは高貴な王侯貴族という社会的範疇が、皮膚の色という身体的特徴を介して、体内にある血液という物質と結びつけられている。「人種主義」（racism）とは、生物学的特徴を基準にして一括りにされた人間の範疇について、一定の生得的特質を恣意的に割り当て、それを根拠に差別や排除や暴力や殺戮を発動させる思考であるが、そこでは、体内の血液が、受け継がれる何らかの実質を介して、一定の人間集団を印づける隠喩としての「血」と結びつけられている。この理屈が作動するのは、人種の場合だけではない。例えば、親子や兄弟姉妹をはじめとする家族や親族など「血のつながった」人々の間には、特有の性質が生得的に共有されていると考える「血縁」の思想においても、同じ論理が働いている。ここで言う「血」とは、目に見える血液ではなく、顕微鏡でも見えないのに実在すると考えられている物質であり、科学による反証を受け付けない。彼らは我々と生まれつき違う、なぜならば、彼らと我々では、それぞれの体に「先祖から受け継いだ別々の血が流れているからだ」という理屈は、装いを変えつつも、時代を越え文化を越えて根強い。そこで言う「血」は、研究者からみれば「比喩・メタファー」だが、人々にとっては実在する物質なのである。たんなる比喩ではないからこそ、人種差別も容易にはなくならないのだろう。

血は、しかるべきところを流れている限りはポジティヴなものとして尊重されるが、経路から逸脱すると直ちにネガティヴなものとして嫌われ、しかるべき所に置かれれば真実や聖性を示すものとして有難がられ、場違いな所に置かれれば冒瀆や穢れを示すものとして忌避される。血は、血縁や輸血のように人々を結びつけることもあれば、人種や血液型のように人々を引き離すこともある。これほどまで強い感情を喚起し、これほどまで多様な意味を帯びることのできる物質は、他に類を見ない。

35 全質変化という素材転換——キリストの血と肉

私は小学生から高校生までボーイスカウトの団員で、毎週日曜にカトリック教会付属幼稚園の園庭を借りて活動をしていたのだが、活動の前に教会でのミサに参加しなければならなかった。団員の中には信者もいたが、私も含めて信者ではない者にとっては、何のためにそこにいるのか身の置きどころに困る体験だった。とくに居心地が悪かったのが「聖体拝領」の時間で、信者は祭壇の前に進んで、順番に身をかがめて、聖杯の赤葡萄酒に浸した「ホスチア」(丸く白い薄紙のような種無しパン)を、イタリア人の神父さんに口に入れてもらう。これはスナックなんかではなくて、キリストの血と肉なのだ。「聖体拝領」は、英語ではcommunionで、「交わり」と和訳されることもあるが、信者は、「聖体」つまりキリストの体を食べて、キリストと一体化するのである。

種無しパンや葡萄酒が、(キリスト自身は何も食べなかった最後の晩餐で御本人が明言したとはいえ)本当にキリストの肉や血に変ずるとしたら、かなり奇妙なことである。キリストの血や肉を「象徴している」というのなら納得できるのだが、どうもそうではないらしい。カトリック教会の公式説明によれば、それは「全質変化」(「実体変化」transubstantiation)というもので、第四ラテラノ公会議(一二一五)で提起され、トリエント公会議(一五四五―六三)で公認された教義であり、それによれば、パンと葡萄酒の「実体は、キリストの真の血と肉の実体へと変化する」のである(『キリストの身体』)。

キリスト教の教説についてここで論ずる用意も勇気もないが、興味深いのは、信者がキリストと一つになる手段が、キリストの血と肉という物質の摂取だという点である。実は、そもそもキリストの身体は、父なる神の「受肉」の所産なので、血を流して痛みを感じる身体をキリストがもつことは不思議でも何でもないのだが、十字架に架けられた受難のキリスト像の傷口からさえ本物の血が流れだしたりするのである。

美術史家の岡田温司は『キリストの身体――血と肉と愛の傷』で、「(キリストの)身体をめぐるイメージこそが、この宗教――とりわけカトリック――の根幹にある」と喝破し、さらに「キリストの身体は、愛され崇められると同時に、痛めつけられて穢されるものでもあるという、奇妙な両義性を帯びている」と指摘する。また、美術史家の小池寿子によれば、「初期キリスト教時代では、贖罪の死を遂げて復活するキリストは、死をも克服する勝利者としてのイメージをもって視覚化されたのであるが、一三世紀から終末とされた一五〇〇年に向かうにつれ、キリスト像は概して、血を流し、ほとばしらせる痛々しい姿に変貌していく」(『内臓の発見』)。この「血みどろのキリスト像」においても、「全質変化」説においても、キリストの血と肉という生々しい物質が主役を務め続けるのは、どうしてなのだろうか。

そもそも「全質変化」つまり「実体《サブスタンス》が変わらないままに別のモノに変ずる」というアクロバティックな理屈は、教会の御高説にとどまらないで、一般信徒にどこまで理解され、受け入れられていたのだろうか。さらに、「聖体拝領」で経口摂取するモノが、象徴的にではなく、真にキリストの身体であると、今でも信じられているのだろうか。もし信じられているとして、それはいわゆる科学的思考と、どのように折り合いがついているのだろうか。

一五四三年には既に、パドヴァ大学の外科医ヴェサリウスが、豊富な人体解剖に基づく大著『ファブリカ(人体の構造について)』で、人体についての新しい理解を公にした。観衆が押し掛けた公開解剖の図が表題ページを飾り、文中の木版挿絵では、「「エコルシェ(剥皮人体)」と呼ばれる解剖人体が、皮膚をはがれ、骨格、筋肉、循環器、内臓をあらわにして」さまざまなポーズを取っていた(『内臓の発見』)。十字架に架けられて血を流すキリストの身体と、近代の幕開けを告げるあの「解剖人体」とをふたつながら受け入れる心性とは、一体どのようなものだったのだろうか。

36 臓器移植とサイボーグ——柔らかい臓器と硬い機器

ある人の臓器が正常に機能しなくなっているとき、別の人の同じ臓器を摘出することが正当化できて初めて、臓器移植の可能性が生ずる。となれば、ドナーの御厚意で行われる生体肝移植など以外は、もう死んでいる人から臓器を摘出する場合しか正当化できないだろう。理屈はその通りだが、現代日本社会では、実は「ドナーが死んでいれば」という条件のところで議論がある。「脳死を人の死と認めるか」という問題である。

現在の日本では、一定の条件を満たしている場合に「脳死判定」を行うことができ、「脳幹を含む全脳の機能が不可逆的に停止するに至ったと判定されたものの身体」からは、医師が移植のために臓器を摘出できる。一定の条件とは、一九九七年成立の「臓器の移植に関する法律」の段階では、本人の提供意思を記した書面の存在だったが、二〇〇九年の改正で、それに加えて、本人が提供する意思も提供しない意思も書面で明らかにしていなかった場合で「遺族が当該臓器の摘出について書面により承諾しているとき」も「脳死判定」に進むことができるようになった。また改正によって、臓器移植を前提とする場合に限り脳死判定を行うことができるとする、従来の縛りがなくなった。

しかし脳死は人の目には見えない。脳死でも心臓は拍動しており、体は暖かい。脳死はプロセスであって、特定の瞬間に脳死したとは言えない。そうした理由から「脳死を一律に人の死とする」ことに釈然としない人は多い。心臓が動いていて血流があるために温かい身体は、法律的には「脳死体」つまり「脳死状態の身体」ではあっても、実感として理解できる「死体」ではないとする考えは、おそらく日本社会では、まだまだ圧倒的多数派なのだろう。そもそも、従来の死亡判定は、①呼吸停止、②心拍停止、③瞳孔散大・対光反射消失に拠っていた。これは機械でしか測定できない脳波ではなく、私たち自身の身体感覚で理解できる心臓の状態だったのである。身近な人の臨終に立ち会った経験から言っても、「息を引き取る」という現象が「人の死」であると実感するのに医学の介在を必要としない。

しかし臓器移植の話は、すぐにドナーの側の死の判定の話へと逸れてしまう。それはたしかに人の生死に関わる重大問題ではあるのだが、その陰に隠れて、ある人の「まだ死んではいない」臓器を摘出して他の人の体内に入れるということの「まがまがしさ」が視野からこぼれ落ちがちである。それはけっして単なる部品ではない。では何なのか。

ところで、いろいろな臓器が移植可能なのにもかかわらず、なぜか心臓移植が脚光を浴びる。その理由はまさに、心臓が生き死にに関わる臓器だと皆が思っているからだろう。心臓が感情の座であるという考えは様々な文化に見られるが、移植されるのは、たんなるポンプとしての機能である。つまり、格段に精巧な人工心臓が開発されれば、温かく、柔らかく、動いている心臓を「脳死体」から摘出しなくてすむようになるのだろうと思う。あるいは、硬く冷たい人工心臓では、だめなのだろうか。もしだめだと言うのなら、いま移植されているのは、心臓の機能だけでなく、何か「いのち」とでもよぶべきものが付随しているということかもしれない。

現代人は、多かれ少なかれ、生きていくために種々の機械のお世話になっており、そうした機器には着脱可能のものもあるが、身体に接続したり、体内に埋め込まれたりしているものも少なくない。ここまでくれば、御本人がいくら「たんなる道具だ」と言い張ったとしても、もはやサイボーグと呼んで差し支えない。新型コロナウイルス流行の最中に「エクモ（ＥＣＭＯ）（体外式膜型人工肺）の不足がニュースになっているが、それが本物の肺に形や触感が似ていないことを問題にする人はいないようだ。いつの日か、それが体内式になって埋め込まれたりする日が来るだろう。そして遠い将来には、脳以外はほぼすべてが人工臓器という状態が可能になって、「人工身体が脳を装着しているのか、あるいは逆なのか」という難問に頭を悩ませる時代が来るのかもしれない。

37 腐敗と発酵——微生物との持ちつ持たれつ

一九七四年三月、旱魃に見舞われていた陝西省驪山で、井戸を掘っていた農夫たちが素焼きの像を掘り当て、それがきっかけとなって発見された兵馬俑孔は、秦の始皇帝の地下帝国のほんの一部であり、その全貌はいまだ明らかではない。始皇三七年（紀元前二一〇年）、始皇帝は、第五回の巡行の途中、齢五〇歳で不慮の死を遂げた。近臣は崩御の事実を隠して都の咸陽をめざして急ぐが、暑い季節、車に乗せた遺体は腐臭を放ち始め、「鮑魚」（塩漬けにして発酵させた魚介類）を車に積んで、その臭いを紛らわせたという。絶対権力を手にした始皇帝であっても、有機物の体をもつ身であり、死ねば腐敗を免れ得なかった。だが、彼は生前、不老不死をねがって仙薬の探索を命じ、死後に備えて水銀の河の流れる広大な地下帝国を建造してもいたのだった。

腐敗という現象に好印象を抱く人は、けっして多くないだろう。「腐る」という言葉を含む表現も、なにか生理的嫌悪感とつながっている感じがする。目を背けたい、触れるのもおぞましい。鼻をつまみたいような臭いもする。吐き気も催すかもしれない。しかしそもそもモノはなぜ腐るのか。腐敗するとはどのような現象なのか。すべては、肉眼では見えない「微小な生き物」の働きから始まる。それには、「微生物」(microbe)と「細菌」(bacterium)という二つの呼名があり、それぞれを対象とする学問には「父」がいる。「微生物学の父」ルイ・パストゥールは、甘い牛乳が酸っぱくなる現象から研究を始め、「細菌学の父」ロベルト・コッホは炭疽の病原体探しから研究を始めた。微生物と細菌の関係について言えば、「微生物」は肉眼では見えない微小な生物の総称であり、菌類や酵母などの真核生物と、細菌などの原核生物に分かれる。微生物による有機物の分解は、有害か有益かに応じて「腐敗」と「発酵」と呼び分けられる。細菌には病原体となるものもあるが、全てではない。例えば大腸菌やサルモネラ菌も細菌だが、乳酸菌や納豆菌も細菌である。要するに、肉眼では見えないが、人間の役に立ったり、害をもたらしたりする、多種多様な微生物がいて、そのおかげで美味しい食物ができたり、始末に困る腐敗物ができたり、病気になったりする。始皇帝の遺体の腐敗臭を紛らわせるために使われた「鮑魚」の臭いは、「くさや」のような発酵臭だったのだろう。腐敗と発酵の違いは紙一重なのである。

しかし、微生物は、物質循環における役割を淡々と果たしつづけているだけであり、肉体の死という環境変化に際しても、それに応じて分解する対象が変わるにすぎない。人間が死んで「土に還る」のも、微生物が分解してくれるおかげだが、死ぬまでは微生物と御縁がないかと言えば、もちろんそんなことはない。

『土と内臓』という本によれば、微生物は「私たちの生命にとって欠かせない役割を果たしている」。それなのに、細菌学の成立以来、微生物の世界は病気を引き起こす細菌の巣窟とみなされ、抗生物質でそれを駆除することが至上命令となった。同様に農業においても薬剤で微生物を駆除し、大量の化学肥料を投入して収量を増やすことが絶対善とされて今日に至る。しかし、私たちの生命活動は、私たちの体内の「微生物叢」（ヒトマイクロバイオーム）との持ちつ持たれつの協力関係のおかげであり、それと肉体からなる共同体が人間なのである。となれば、同書の言う「自然の隠れた半分」つまり肉眼で見えない微生物の世界を抜きにして、人間について論ずることはできない。微生物は人類よりはるかに昔から存在していて、人間も含む多細胞生物は微生物の合体の所産であり、今でも「人間の体内には天の川銀河の星の数よりたくさんの微生物がいる」（『土と内臓』）。そして「微生物は動植物の死骸を分解するとき、生命の構成要素を循環に戻す」（同書）のである。永遠の生命を願うなら、不老不死の仙薬よりも、こちらのほうがよほど確実ではないだろうか。

38 コールドスリープとフリーズドライ——保存される体

『2001年宇宙の旅』で木星をめざしていたディスカバリー号の乗組員のうち、プールは船外活動の最中に宇宙の果てへ放逐され、体温が氷点近くまで下げられて人工冬眠中だった三人は再び目覚めることはなく、ボーマンだけが残された。いや「もう一人」、四人を殺害した犯人も残っていた。「生命維持システムをモニターすること」を最重要任務とする「船の頭脳と神経系をなす高度に進歩したコンピュータ」HAL9000（通称ハル）である。人工冬眠の仕組みについての詳しい説明は、別のSF『夏の扉』にある。それによれば、「まずその人間を麻酔し、つぎに仮死状態にしてから冷却を始め、摂氏四度——つまり水が氷の結晶をともなわぬマキシマムの比重に、体温を保つようにする」という方法である。この物語の主人公デイビスは、きわめて人間的な動機から、この「コールドスリープ」を二度体験して、一九七〇年と二〇〇〇年（と二〇〇一年）の間を行き来するはめになった。

この二冊のSFは、偶然にも同じ二〇〇一年の世界を描く。『夏への扉』（一九五六）では、一度目の「コールドスリープ」から覚めたデイビスが読む二〇〇〇年の新聞には「月世界定期便、双子座流星群のためなお空中に待機中――静止宇宙ステーション、二か所に破損、死傷者なし」という記事が載っており、『2001年宇宙の旅』（一九六八）で月面の地下で発見されたモノリスの調査のために月に向かうフロイド博士は、これまでにも火星へ一度、月へは三度行ったことがある。現実の二〇〇一年には、まだこのような月への定期便は実現していなかったが、半世紀遅れくらいで追いつくかもしれない。

それに対して「人工冬眠」や「コールドスリープ」のほうは、どうだろうか。不治の病に罹っていて、将来治療法が発見されることを期待して肉体の冷凍保存を望む人というのは、現在でもすでにいるらしい。体温の低下は、栄養や水分も摂らずに長期間死なずにいるための常套手段である。冷凍するのがそのひとつの方法であることは確かで、精子や卵子の凍結保存はすでに実現している。しかし、体内の水分の凍結によって細胞膜が破壊されてしまうと、解凍したときに生命を再起動することができない。生き返る必要がないのであれば、アルプスの氷河で見つかった五〇〇〇年以上前に生きていた「アイスマン」やエジプトやアンデスなど世界各地で作られたミイラの例に明らかなように、凍結や乾燥は肉体の腐敗・分解を防止する現実的な方法である。しかし長期保存の後に十全な生命活動を再開したいのであれば、やはりそれは、たんなる「保存」を凌駕する「睡眠」の一種でなければならないだろう。

そこで注目すべきは、クマのような大型哺乳類も含めて多くの動物が行っている「冬眠」ということになる。しかし人間がすぐにそれを真似ることは難しいようだ。人間の通常の睡眠でも体温は一～二度は低下するが、それを長引かせれば「冬眠」になるというわけではない。体温を摂氏四度まで下げる前に人間はもう低体温症で凍死する。正真正銘の「人工冬眠」というのは、まだまだ実現しそうもない。

ではまったく別の「凍結乾燥」つまり「フリーズドライ」はどうだろうか。簡易味噌汁やインスタントコーヒーなどの食品で馴染みがある技術だが、要するに、モノを凍結して真空状態で加熱すると、中の水分が液体になって蒸発して水蒸気となるのではなく、液体を経ずして直接に水蒸気に昇華するという仕組みで、単に冷凍して解凍するのと違って、形状・成分・風味の変化を小さくすることができる。従来のものより良質な「アイスマン」やミイラを作ろうというのであれば、「凍結乾燥」というアイデアは御誂え向きかもしれない。あるいは埋葬の方法としては画期的だ(「プロメッション」というエコロジカル埋葬を提案するプロメッサ社のサイトhttp://www.promessa.se/)。しかし、寿命を延ばしたいならば話は別である。

そもそも、人生自体は長くならないが、人生が終わるのを先延ばしにして、その代償として人生を分断する技術を開発することが、人間にとってどのような意味があるのか。なによりもまず、このことについて深く考えてみるべきであろう。

39 お骨とエンバーミングとミイラ——死後の世界の標準装備

「人体がその形を保っていられるのは、からだを貫く軸としての骨が骨格をつくっているからである」「骨の外側は骨膜に包まれ、その内部の骨質は緻密質と海綿質からなる」(『ぜんぶわかる人体解剖図』)。身も蓋もない「骨」の説明である。しかしこれが「お骨」つまり「遺骨」となると、ずいぶんと様子が変わってくる。生きている間は、骨折したり、レントゲン写真を撮ったりしないかぎり、骨のことなど意識しない。それが、ひとたび死ぬと、突然、人格をもった個人をまるごと体現する特別な存在になる。土葬の場合は、移行のプロセスは緩慢だが、火葬の場合、薪を燃料として丸一日を要した野焼きとは様変わりで、昨今では一時間半ほどで遺体は急速に遺骨へと変貌する。現代日本では火葬率はほぼ一〇〇%だが、ずっとそうだったわけではない。庶民に関しては、江戸時代の都市などを例外として、近世末までじつは土葬が基本で、(伝染病による死亡者の火葬を義務付けた旧伝染病予防法が制定された)明治三〇年の火葬率は、全国平均では二九%にすぎなかった(『お骨のゆくえ』『弔ふ建築』)。一九七九年、大学四年の夏に愛知県の奥三河で社会調査実習をしたとき、「集落で初めての火葬は私の妻のときだった」という話を聞いて心底驚いたことがある。それまで近くに火葬場がなかったのである。

技術革新のすすんだ現代の火葬炉で焼きあがったカサカサに乾いた「お骨」は、味わい深い白色をしていて、現代アートのオブジェのようでさえある。ついさっきまで目にしていた「あの人」と、この「お骨」の関係は、思いの外よそよそしくて、旅立った「あの人」の抜け殻にすぎないようにも見える。その一方で、戒名の記された位牌というモノは、生前の身体との物質的連続性を欠いてはいるが、燈明《とうみょう》をあげ、供物を供え、お経を唱えるうちに、「その人」の新しい身体としての地位を強めていく。

「エンバーミング」は、遺体の血液をホルマリンなどの保存液で置換することで防腐・保存措置を施すアメリカ合衆国由来の技法だが、研究会での人類学者の出口顯の報告のなかで、エンバーミングは日本では、遺体を長持ちさせるというよりは「失われた面影を回復し、あたかも生きている、湯上りのようなきれいない状態にすることが望まれている」という話を聞いて、さもありなんと思ったことがある。火葬に先立つ「湯灌《ゆかん》」でも、目指すのは「湯上りの状態」のようだ。火葬を前提とした「湯上りの状態」と、将来の復活に備えた永久保存仕様のあいだの落差は、限りなく大きい。アマゾンで調査をしていた時に知り合ったスイス人の神父さんは、「人間は、どの年齢の容姿で復活するのか」という私の質問に対して、「その人の人生で最良のときの姿で」と老練な回答で応じたが、その時以来、老いさらばえた遺体の立つ瀬がないではないかと、私は案じ続けている。

ミイラは、人間としての「まとまり」を死後も物質的に持続させることを目指す点でエンバーミングに似ているが、在りし日のままの外見にこだわるわけでない。考古学者L・メスケルの言葉を借りれば、古代エジプトのミイラは、死者が死後の世界に赴くにあたって、「素材転換（transubstantiation）」によって「新たに製作された身体性」を身に帯びた姿なのである（*Object Worlds in Ancient Egypt*）。つまりそれは、永遠に生きるために装備をパワーアップした人間、一言で言えば、サイボーグというわけなのだ。遺体のミイラ化に執心した古代エジプトの人々が腐敗を怖れていたことは間違いない。人間としての「まとまり」が腐敗によって醜く解体してしまわないよう、あえて物質を入れ替えて加工することによって連続性を保つ、これがミイラ化の真髄なのである。

「お骨」、エンバーミング、ミイラ。どれもが死者が死後の世界へと移り住むにあたって身にまとう新たな標準装備だと言える。それは現世で生きていた時の標準装備である生身の肉体とは別物であらざるをえないが、その際に、同一の人間としての連続性をどのように物質的に担保するのか。その点で、いろいろな解決方法があるというわけである。

40 人はなぜ像をつくるのか――仏像や神像は代役にすぎないのか

この世界には、「神霊」などとよばれる一群の存在がいて、人間の生活や人生に大きな影響を及ぼす力をもつとされるのだが、通常肉眼で見ることはできない。しかし、人間の限られた能力では対処できない事態に直面して、助けを願うにせよ、赦しを請うにせよ、そうした存在に向かって働きかけたいと感じることがある。そのとき、五感で捉えることのできる形姿があると都合が好いが、人間にとって不可視である存在に可視的（そして可触的）な形を与えるのは難しい。しかし、歴史を振り返れば、数多の像が人間の手で作り出されてきたのである。

そうした像は、あくまでも本来の「神霊」といったものの代役にすぎないのだろうか。例えば、人里離れた国道や県道沿いに警察官の人形が立っていることがある。あれを見てドライバーが慌てて速度を落とすならば、立派に代役を果たしている。工事現場を囲む壁にヘルメットを被った頭を下げた作業員の姿が描かれて、「御迷惑をおかけします」といった台詞が添えられていることもある。効果の程は不明だが、謝罪の気持ちの一端は伝わるかもしれない。代役でも軽んずることはできない。

カトリック教会にあるキリストや聖母や聖人の像や、寺社にある仏像や神像となると、代役とは言え、それ自体が崇拝や祈願の対象とされている。要するに本物のもつパワーが、多少薄まっているかもしれないが、その似姿である像にも宿っているとみなされているようである。大仏の開眼供養のように、意図的に本物のパワーの移植を図ることもある。しかも、そうした像が効験あらたかで、長年信者が接吻したり合掌したりして年季が入って来ると、代役自身が唯一無二の価値を帯びて来るということも起きる。このマリア像や、この阿弥陀如来像は特別で、ほかの像では代替できないという事態である。

考古学者L・メスケルによれば、古代エジプトでは神像は、毎日お世話をして働きかけ続ける必要があり、そのことによって、人間が製作したモノである神像は神になる。別の言い方をすれば、それによって神が自らの物質的な身体である神像に住み込む。さらに重要な点は、そのように神が神像という身体を得ることで、人間のために何かを為し得る力、つまり「エイジェンシー」(agency)を行使できるようになる。要するに古代エジプトでは、神が神として振舞うことにとって、神像として物質化されることはけっして付随的なことではなかった。この考え方を仏像などにまで一般化できるのか。それについては保留しておきたい。

つぎに、錯綜した関係にある複数の像の事例に目を転じたい。取り上げるのは、奈良の唐招提寺の開祖である鑑真和上と、国宝の鑑真和上坐像と、鑑真和上お身代わり像である。国宝の鑑真和上坐像は、直接の教えを受けた弟子が指揮して、脱活乾漆《だっかつかんしつ》という技法で製作した日本最古の肖像彫刻で、ながく秘仏とされてきた。研究会での人類学者の野林厚志の報告によれば、「僧侶たちの言では、鑑真和上は死んだのではなく、和上像になっており、僧侶たちは代々〝生けるがごとく、おわすがごとく〟お仕えしてきた」という。お身代わり像は、鑑真没後一二五〇年を記念して二〇一三年に、国宝像とまったく同じ技法で二年半かけて製作された模像だが、たんなるレプリカではなく、すでに開眼法要を経て魂を入れられ、これからは国宝像の代役として一般公開される。ついでに言えば、お身代わり像は、国宝と外見を一致させるために「古色付け」する前に、国宝像完成時の色合いを再現したのだが、それを見た唐招提寺長老は「一二五〇年若返られた。まるで湯上がりのよう」と感想を述べたという(日経電子版2013.4.4)。

さて、もし「生けるがごとく、おわすがごとく」がお身代わり像まで延長されるのであれば、鑑真本人のもはや存在しない肉体も含めて、三つの「像」は、鑑真という人間(person)が分配されている複数の身体ということにもなるだろう。さらに、同じことがキリスト像やマリア像についても言えるかどうか。これについても考えてみる価値がある。

41 朽ち果てるべき木像——耐久性偏愛は普遍的ではない

一九八七年三月、アメリカ合衆国南西部、ニューメキシコ州のネイティヴ・アメリカン保留地で、「夕暮れの小雨の中、「弓の司祭」(*a:pilha:shiwani*)が、双児神「アハユーダ」(*Ahayu:da*)の二つの木像を、ズニ・プエブロの村を見下ろすメサの上にある祠に据えた」。この二つの木像は一八八〇年代に白人研究者たちによって東部に持ち去られて、ワシントンにあるスミソニアン・インスティテューションの収蔵物となっていたものが、九年越しの交渉の結果、ようやくズニの地に返還されたものだった。研究者や博物館あるいは販売業者や愛好家によってネイティヴ・アメリカンの地から奪い去られたモノの「返還」(repatriation)を求める運動は、ズニの人々のアハユーダ返還を求める粘り強い交渉を嚆矢として、一九九〇年の「アメリカ先住民墓地保護・返還法」(NAGPRA)の成立を経て、さらに広がりをみせてきた。この問題は、大英博物館にある「エルギン・マーブル」とよばれるパルテノン神殿の彫像・浮彫や「ロゼッタ・ストーン」など、必ずしも合法的ではない経緯で、それを生み出した土地から遠く離れた博物館に収蔵されているモノに対する返還要求へもつながっていく大問題であるが、ここではズニのアハユーダへと焦点を絞り込む。

ズニの人々、とくに祭祀専門家たちがアハユーダの返還を求めた主な理由は、それがたんなる道具ではなく、祭祀に用いられる宗教的意味をもつモノであること、それが共同体全体のモノであるがゆえに個人的譲渡はありえないので、ズニ以外の人々の手にあるとすれば不正な手段で入手されたものであることだが、それ以上に喫緊の問題がある。ズニの祠という本来の場所に置かれていてこそアハユーダは、ズニのみならず世界の安泰を保つという役目を果たすことができる。そこから持ち去られてしまうと強大な力が解き放たれ、世界はとんでもない危険に曝されてしまうのである。

そうした主張に対して、それは迷信にすぎない、アハユーダを多くの人が見学できる大博物館に展示することこそ意義があると考える人は、世界の平和や人類の幸福とは何の関係もないのだから、世界中のキリスト教会や仏教寺院などの宗教施設にあるキリスト像や仏像は全部持ち去っても構わないと主張するのだろうか。迷信と言われた側の信者の立場に立って、よく考えてみた方がよい。

アハユーダの場合、さらに難しい問題があった。双児神の木像は、冬至になると新しいものが祭祀専門家によって製作されて据えられ、古いものはその背後に積み重ねられる。ズニの祠は野外にあるので、木像は外気に曝され、やがては大地に還っていくべきものとされる。古いアハユーダも不要になったわけではない。ハコヤナギや松というしかるべき木材を用いて、資格を持つ専門家によって製作され、祠に据えられて祭祀で重要な役割を果たし、その後も祠に留まって朽ちていく、その全体がアハユーダの任務なのであり、朽ちて目にはそれとは分からなくなった後でさえ、その役割は終わっていない。

この思想が、重要なモノは耐久性のある石や金属で作るのが望ましく、外気に曝されない家屋の中で保存するのが望ましく、風化や腐敗や分解を防ぐことこそがそのモノの価値を尊重する姿勢であるとする「常識」と対立する。研究者や博物館の論理は、基本的にこの「常識」を前提としている。そうであるがゆえに、アハユーダの返還に関しても、返還後の管理施設や管理体制が整っていることが、現在の所蔵機関から条件として提示されることが少なくなかった。つまり基準を満たした収蔵施設がズニ社会にも存在するなら返還してもよいという提案である。しかし温度や湿度や照明を管理した収蔵庫に安置されたのでは、アハユーダは本来の役割を果たすことができない。このすれ違いのなかで明らかになるのは、貴重なモノには耐久性をもたせるべきだ、長持ちすることこそが価値あるモノである条件だという、ともすると当然視されがちな思想が、じつは極めて特殊なものだということなのである。

42　古色と錆と黴——珍重される経年変化、忌避される経年変化

「古物営業法」という「盗品等の売買の防止、速やかな発見等を図るため」の法律があり、それにもとづいて「古物商許可」を取得して「古物」を売買する業種が「古物商」である。「古美術商」も「骨董品店」も「古物商」の一種だが、「骨董品」と「古美術品」の違いは何だろう。どちらも非常に古くて価値があることは確かだ。また「古道具屋」というのもあるが、これは新品より安い中古の道具類を扱うのでジャンルが違う。まるで古物商の店内のように話が込み入ってくるが、要するに、「年月を経た価値」を認定されて価格が（著しく）上昇する古いモノがあり、それが商売になる世界があるということである。

日常的には目にする機会はそれほどないが、「パティナ」(patina)という英単語がある。『リーダーズ英和辞典』（研究社、第二版）によれば、「①青錆、緑青、パチナ（岩石表面にできる薄膜）、②（年代を経た家具などの）古つや、古色、さび、（長い間にそなわった）外観、風貌、趣き、雰囲気」とある。つまりプラスの価値が付与される経年変化を指す。それと逆に「古くなることで

価値が下がる」のは、手垢や赤錆や埃などで汚れる、染みがつく、傷がつく、形が崩れる、等々の理由で、経年変化が劣化を意味する場合である。両者のあいだの境界線をどのように引けるのだろうか。もちろん、どのような種類のモノを対象とするかで、話も変わって来るだろう。

そこで人物や神仏などを象《かたど》った「像」に絞ってみる。経年変化が劣化を意味する例として、たとえばマダム・タッソーの蝋人形がある。モデルの人物は老化したり死亡したりしても、蝋人形は全盛期の本人の姿を写し取った新品のままであることに価値がある。だから、修理も原状回復を至上命令とするはずだ。他方、経年変化がプラスに評価される場合は、欠点とみられてもおかしくない点が逆に魅力と判定される。法隆寺を訪ねた亀井勝一郎が百済観音を見て、「おそらく極彩色で塗られ、ことによるとしつこいほど華麗なものだったかもしれぬ」と想像する制作時から一三〇〇年を経て、「顔面の剥脱して表情を失っているのも茫乎として神々しい」と書いている(『大和古寺風物誌』)。これは、その好例だろう。鎌倉の高徳院の本尊である一三世紀半ばに造立された「鎌倉大仏」も、今日では銅像に貼られた金箔は剝れ、表面は酸化して緑青に覆われているが、金色に輝く原状に復元せよという声は終ぞ聞かない。ここから「侘び」や「寂び」の方へ話を進める選択肢もあるだろうが、敢えて「錆」と「黴」に注目してみたい。

錆というのは、金属が空気や水分に触れて生じる腐蝕物であるが、緑青も銅の表面に生ずる錆の一種である。鎌倉の大仏以外にも、ニューヨークの自由の女神や上野公園の西郷さんなど、青緑色の銅像を見たことのある人も多いだろう。銅は人類が最初に手なづけた金属なので、銅像製作もながい歴史があるのだが、実は一般に「銅像」と言っているものは、八〇％以上を占める銅に錫や亜鉛などを加えた合金のブロンズ（青銅）である。

緑青は錆だが除去すべきものと考えられているわけではない。緑青が膜となって、それ以上の腐蝕を防ぐことができるという実利があることに加え、まさに「パティナ」つまり「古色」がそこに観取されているのだろう。ここで唐突に鰹節が目に浮かぶ。鰹節とは、御存知のようにカツオを茹でて天日干ししたものだが、「本枯節」とよばれる高級品となると、これに「カビ付け」をして風味を増し、悪い黴による腐敗を防ぐ。銅像にせよ鰹節にせよ、錆や黴によって価値が増すのである。その一方で、「古道具屋」に、錆びた刀や、黴の生えた絨毯があったら、売り物にならないだろう。それは譬えて言えば、黴が生えてしまったチーズである。それに対して、生やした黴によって熟成して味わいが増すチーズもある。古美術品から随分遠くまできたが、経年変化というものは、まったくもって一筋縄ではいかないもののようである。

第五章

触ると触れる

43 触知性——脳は知らなくても皮膚が知っている世界

視覚、聴覚、触覚のうちのひとつを剝奪されるとしたら、どの感覚を諦めますかという思考実験がある。そこで「見えないのは困る、聴こえないのも困る」という理由で触覚を諦めると言う人がいますが、触覚がなくなると実は大変なことになります、と続くのがお決まりの展開である。

触覚を失ってしまったら「世界そのものの電源が切れてしまって、どんなものも反応を返すのをやめてしまった、そんな感じかもしれません」、「まるで幽霊になってしまったよう」でしょうというのが『触楽入門』という本の見立てである。要するに、自分の身体がどこまでなのか、どのように存在しているのかわかるのは、手だけでなく全身の触覚のおかげであり、それがオフになると、自分が存在しているという確証がなくなってしまう。その恐ろしさは想像を絶するが、それで逆にわかるのは、私たち人間が、生きているかぎり、生涯を通じて毎日、一時も中断することなく、触覚によって世界と触れあいつづけているという事実である。

触覚がいかに大事かは、胎児の時代そして新生児の時代を振り返って見ればわかる。と言っても、自分では思い出せないが、「触覚については、妊娠一〇週の頃から自分の身体や子宮壁に触れるという行動が見られ、学習が始まっている」と考えられている(『触楽入門』)。無事に誕生した後も赤ちゃんの視覚はまだまだ使い物にならず、もっぱら触覚に頼って、舐めて触って摑んで、自分の身の回りの世界の形を把握し、世界のありさまを理解し、そして働きかけることを覚えていく。それほどまでにお世話になってきたし、いまだにお世話になっている触覚であるのに、視覚を操ることを覚えると、触れる・触る体験の大切さをすっかり忘れて、意識の周縁へと追いやってしまうのである。

皮膚は、たんなる袋ではない。世界と自分とのインターフェイスとして、溢れるほどの外部情報を処理しつづけている。皮膚(の下)にある神経で受け取った生の情報が、脳という中枢へと伝達されて初めて意味ある情報となり、判断が下されて行動が起こされると私たちはイメージしているが、最先端の皮膚科学が明らかにしているのは、皮膚それも表皮細胞自体がセンサーであり、「第三の脳」たる「皮膚は考える」という事実である。つまり、私たちの体全体を統御する情報の流れにおいて、皮膚は予想外に重要な役割を果たしているらしい(『第三の脳』『皮膚は考える』)。「絶え間なく変化する環境の中で生きている存在にとって、その境界たる皮膚の方が、生命機能維持のみを考えた場合、脳より上位ということができるかもしれません」と皮膚科学者の傳田光洋は書いている(『第三の脳』)。つまり、大量の重大案件が、脳が関与することなく皮膚レベルで対処されているのである。因みに「第二の脳」は腸であるが、腸も実は体の内と外を隔てる「皮膚」である。

世界について、周りのモノや生き物や人間について、私たちは触覚によって得た情報を介して「知る」ことができる。触ること・触れることによって知ることができることを意味するtactility（触知性）という英単語があり、その形容詞tactileとともに、「触ることができる」という意味のラテン語tactilisに由来するが、英語にかぎっても、じつは似たような意味の単語がいくつかある。ひとつはtangibleで、これは比較的単純で、物理的に手で触ることができる形をもって実在することを指す。他方、ギリシャ語に由来するhapticという語があるが、これとラテン語由来のtactileという語は、意味が微妙に重なっていて、截然と区別することが難しい。どちらも「触れ」（touch）、つまり人間が何かに主として手（の平）で接触するという体験に関わるもので、対象と人間の関係のなかで出現する、触って感じる、触ってわかる「性質」を指している。日本語の「ふれる」と「さわる」の関係も一筋縄ではいかない。ここで言葉だけを弄んで話をややこしくするよりも、このあとに続く幾つかの話を読むことを通じて、なんらかの手触りや手応えを感じて、手掛かりを摑んでもらえることを願っている。

44　自分に触れる、他人に触れる——人間にとって触れ合いとは何か

自分の片手でもう一方の手に触れてみる。私は触れていると同時に触れられている。この感覚は、他の人に触れられる、あるいは他のモノに触れているときには感じることができない。触れられているモノとしての私の手は、自分の外に在る他のモノと同様に、世界を構成する。となれば、私は外側から世界に触れていると同時に、世界の中に在って触れられてもいるわけだ。ここから自分そして世界についての考察を進めたのが哲学者M・メルロ＝ポンティだが、彼の思想については自由に学習していただくとして、ここでは、自分の体であれ、他人の体であれ、体に触れるという体験について考えてみたい。

まず子ザルから話は始まる。心理学者のH・ハーロウは、アカゲザルを使った実験の結果、母親から隔離して飼育された子ザルには、「自分の指を吸ったり、自分の身体を抱きしめたり軽く叩いたりする」「他個体の表情の理解が困難になることがある」「他個体に対して過度に怯えたり、逆に攻撃したりといったような、社会性の異常がみられることがある」ことを発見し

た(『愛撫・人の心に触れる力』)。

それを承けて、臨床発達心理士の出口創は、「愛撫」すなわち「人に愛情をこめて接触する行為」、ひらたく言えば「スキンシップ」がいかに重要か論じている。ここで言う「愛撫」には「セルフタッチ」つまり「自分自身への愛撫」も含まれる。出口さんによると、私たちは、不安や緊張が高まったり困惑したりするときや、嘘をつくときにも、無意識に自分に触るらしい。あるいはまた、誰もが身に覚えのあるように、痛みを感じた時にも、思わず自分の体に手を触れる。しかし子ザルの事例でもわかるように、自分に触れることは他人に触れられることの代わりにはならない。ここで急いで言っておく必要があるが、接触すれば良いというものではない。痴漢だって殴打だって接触には違いないが、そこには愛情はこもっていない。

「人に愛情をこめて接触する行為」にも色々ある。握手とかハグとかキスとかは、おそらくそれに入るのだろうが、特定の文化との結びつきを感じさせることも事実である。例えば日本社会で育った人にとって、相手や場合に応じて適切な握手を識別するのも実行するのも容易ではない。ブラジルでは、親しい女性同士あるいは男女の間では、左頰そして右頰を触れ合わせつつ、唇で音を発する挨拶を交わすが、これを自然にやれるようになるには、随分時間がかかった。ハグにしても、平均的日本人は、成人した子供が親(とくに父親)とハグしたりはしないだろう。親が高齢になれば話はまた別だが。そんな風に文化的偏りはあるにしても、肩を軽く叩く、背中を撫でる、やさしく肩を抱く、しっかりと抱きとめる、やさしく頭を撫でる等々の、愛情をもって触れられるという体験がもたらす、和らげ、ほぐす、一言で言えば「リラックス効果」は、生物としてのヒトに共通するものと考えられる。それは親愛の情を伝えるコミュニケーションでもある。ヴァーチャルな世界で疲弊した私たちは「メッセージと同様にマッサージを必要としている」とは、デザイナーの原研哉の箴言である。

人類の歴史のなかで、さまざまな種類の「マッサージ」の技法が培われてきた。鍼や灸や指圧などで刺激することによって「もともとからだの中にある鎮痛の仕組みを働かせるやり方」(『痛みを知る』)があることも知られていた。近年、西洋医学のなかでも、皮膚に触れる実践の潜在力を再評価する動きがあり、それと連動しながら、看護現場での「タッチング」(『触れるケア』)や、身体への接触を主眼にした「ボディ・ワーク」(『愛撫・人の心に触れる力』)などが各所で見られるようになってきている。

隔離飼育されたアカゲザルが身につけそこなったもの、そして身につけてしまったものを顧みるとき、ヒトが生存していくためにも、人が人になっていくためにも、皮膚の触れあいが不可欠であると、身に染みて感じさせられる。

45 手応えと手触り――把手、ドアノブ、手摺り、枝

把手(取っ手)というモノがある。それは飾りではない。手でしっかりと握るためにモノの外面に設置した付属物であって、そのモノ(あるいは把手を摑んだ人間)を持ち上げる、あるいは引き寄せるために取り付けられている。

把手ごときに贅言を弄していると思われるのも心外なので、社会学者G・ジンメルの把手論を紹介しよう。彼は「取っ手をつうじて容器に権利要求する外界と、そのような外界にかまうことなく自分自身のために権利要求をする芸術様式と、この二つの世界を取っ手の形態がどのように自らのうちに調和させているか」「みずからの芸術形式のなかに完全に組みこまれながら、同時に芸術作品を世界へとつなげる仲介役を果たす、これが取っ手の原理にほかならない」と言う。大袈裟な物言いだが、つまり把手は、芸術作品と現実世界の道具という、器の二つの面を繋ぐ蝶番のようなものだと言うのだ。この議論から汲み取れるものは色々あるが、ひとつだけ挙げるならば、実用性を感じさせるものを芸術品から除外するという、西欧近代の審

美観である。茶の湯における茶碗についてジンメルはどう考えるのだろうか。そこでは、ティーカップの把手を摘み上げるのとはまったく違った流儀で、包み込むように茶碗を支える両の掌の手応えと手触りが、嗅覚と味覚と視覚と混然一体となって、茶碗を味わっている。

話を把手にもどせば、巧みに取り付けられた把手は、本体の価値を損なうことなく、使用者に意識させることもなく、役目をしっかりと果たしている。その対極が、本体の美しさも損ね、役にも立たず、無い方がずっとましな把手である。触れてもらえない把手もある。たとえば、設計に問題があって、バランスが悪かったり滑りやすかったりする危ない把手。あるいは、もはや使われず芸術品として陳列されてしまったカップの把手。

ここまでは何となくカップの把手をイメージしてきたが、把手には、箪笥の引出しの引手や扉のドアノブなど色々ある。いずれにせよ把手というものは、心理学者J・J・ギブソンの有名な概念を使えば、手で把持することを「アフォード」(afford)する。まさに手で摑んでくださいという形をしてそこにある。

把手と似ているものとして、階段や屋上や電車の車内などに、転倒や落下防止のために設置されている手摺りというモノがある。これは堅固であると同時に、実は一定の滑らかさが求められる。最近は、「エスカレーターは歩かずに手摺りにおつかまり下さい」というアナウンスが流れるが、本来の手摺りは、体を保持しつつ移動させる際の支持装置であって、階段を上り下りするときに、握りつつ手で摺るものであろう。因みにジンメルは、手摺りについては、管見のかぎりでは何も言っていない。

人間の手のしている仕事は、モノをしっかりと握ってモノや自分の体を保持することだけではない。手を伸ばして触知するという、触覚の役割も非常に大切である。この二種類の作業は、対極とまでは言わないが、かなり違っている。ここで目に浮かぶのは、密林の中の樹上にいて、枝を握った片方の手で身体を保持しつつ、もう一方の手を伸ばして、つぎに摑まるのに適切な枝を見極めようとしているサルの動きである。もちろんそこでは視覚も協力している。眼は、つぎの瞬間に手で感じるはずの触感を予期しているのだ。「ボルダリング」という、僅かなでっぱりを手で摑み足をかけて壁を昇る競技のスリルと楽しさも、まさにこの二種類の手の作業の組み合わせに由来する。

「対象に接するのに、ほとんどかならず唇、歯で把握する齧歯類とは反対に、霊長類は、まず手を介入させる」と先史学者ルロワ・グーランは書いている(『身ぶりと言葉』)。人間もその例に違わず、すぐ手が出るのだ。さらに幸運なことに、人間には腕が二本、手が二つ付いている。一方の手でモノを摑んで身体を支えながら、もう一方の手で周囲のモノに触って、それが何であるのか、自分にとって何の役に立つのか、それがどのような意味をもつものなのか、触知することが可能だったのである。

46 手を触れないで見る、見ないで手を触れる——美術館と博物館で

美術鑑賞という言葉を聞いたとき、皆さんが抱くイメージはどんなものだろう。週末に美術館を訪れ、他の人と距離を保ちつつ、作品を丁寧に見て回り、気になった作品の前では近づいたり、少し離れたりして、壁にかかった絵画や、台や床に置かれた立体作品を凝視する。おおむね静寂な空間で、各人が作品と一対一で無言の対話をくりかえす——といったイメージが平均的なところではないか。英語でならcontemplation（沈思・熟考・凝視・瞑想）と呼べるような行為である。美術鑑賞という行為においては、作品との関りが一方的に見ることに限定されており、仮に「手を触れないでください」という注意書がなかったとしても、接触（touch）するような不作法に及ぶ人はいない。そこには、聖なるモノを崇拝する行為にも似た何かがある。美術作品には、W・ベンヤミンの言う「アウラ」、つまり本物だけがもつ力が備わっていて、鑑賞とは、それを崇める礼拝行為のごときものだとされてきた。そうであってみれば、美術館が一種の神殿や教会のような雰囲気を醸し出しているのも当然なのである。

そのようなcontemplationによる美術鑑賞に決定的に欠けているのは「触知性」(tactility)、つまり作品に触る・触れることによって対象を知るという行為である。しかし、そこで鑑賞の対象とされている絵画や彫刻は、手仕事によって創りだされたモノである。筆のタッチ、粘土を象る指のタッチ、その動作のひとつひとつが生み出したモノを、距離をおいて目だけで「検分」することを強いる鑑賞システムによって、何が削ぎ落され、どれだけのものが置き去りにされてきたのか。この問題については、「視覚偏重」批判などと関連付けて既に多くの指摘がなされてきた。

　ここで、目の見える「見常者」と対比して、視覚障碍《がい》者を「さわる文化」を先導する「触常者」と位置付ける、国立民族学博物館に勤務する研究者である広瀬浩二郎が提唱する「ユニバーサル・ミュージアム」というパースペクティヴから、展示と鑑賞という問題について考えてみる。広瀬さんは、障碍者に配慮するバリアフリーにとどまらず、「ユニバーサル・ミュージアム」の最終目標は、「博物館の新たな可能性、人間が本来持っている「感覚の多様性」を掘り起こすこと」だと言う。つまり、なまじ視力があるために視覚偏重の鑑賞方法に絡めとられてしまっている人々を解放するために「触る展示」を活かす提案である。「作者の人生、使われた状況、文化の伝承形態など、「見えない世界をみる」のが本来の「ものとの対話」でしょう」と広瀬さんが言うとき、もちろん彼の念頭にあるのは、美術館というよりは、民族学の博物館ではあるのだが、美術作品というモノとの対話についても示唆するところが大きい(『さわって驚く』）。

広瀬さんは別の本『さわる文化への招待』のなかで、琵琶法師やイタコや瞽女《ごぜ》や按摩や鍼灸師について、「「見えない世界を観る」視覚を使わない職人芸だった」と記している。たしかに、常人には見えない死者の世界や体のなかの世界が、彼らには「みえて」いたに違いない。視覚に頼らずに見えない世界を観ることは、視覚だけに頼って見える世界だけを見ることの対極にある。触れる展示で展示物に触れることは、近代的視覚偏重展示鑑賞システムに対する有効な対抗策であることは間違いない。しかし美術作品に「手を触れてください」という注意書を添えれば万事解決するという話でもない。

そこでふと思い出すのが彫刻家佐藤忠良の「目で触る」という言葉である。それによって佐藤さんが意味するのは「自分の目で見た視覚を触覚に換算すること」で、直接的には、彫刻家が「モデルを目で触りながら粘土に写しかえ」る手作業を指している（『触ることから始めよう』）。しかし同時に、視覚と触知性の関係が必ずしも対立的なものではないことを示唆してもいるのだろう。見ることによって触れる、触ることによって見る。これらも追求してみるに値する可能性である。おそらく人間の感覚は、私たちが思うほどには、単純な分業体制にはなっていないのだ。

47 コンタクトとコピー——接触させて写し取る、接触しないで写し取る

原物《オリジナル》がデジタルデータの場合、その複製はクローンなので区別がつかず、どちらが先に存在していたかという点以外に違いはない。しかし通常は、精巧な複製であっても原物に遠く及ばない。ではそもそも、複製はどのような理由で複製たり得ているのだろうか。これは思ったより難しい問題であるが、ここでは、複製作りにおける物理的コンタクトの有無が複製の質あるいは性能に何か違いを生み出すのかについて考えてみたい。

「拓本」というものがある。中国発祥とみられる古来の複製技法だが、デジタル時代の現代人の多くは、そんな古臭い代物を見ることはまれである。思い浮かぶものと言えば、石碑に彫られた碑文を和紙に写し取ったもの、そして、居酒屋の壁に貼られた墨色の魚拓ぐらいである。

「拓本」は、モノの表面に載せた紙や布の上から綿を布で包んだ「タンポ」に墨を含ませて叩く、あるいは、版画のように墨を塗って紙を押し付けることによって凹凸を転写するものだが、木目や硬貨の模様を紙の上から墨や鉛筆で擦って写しとるという手法もある。技法の詳細はさて

おき、ここで注目したいのは、拓本が物理的に密着させて原物から写し取られた複製だという点である。そこではコンタクトこそが複製であることの根拠になっている。

それに対して絵画なら模写、立体物なら模造（模刻）という複製作りの技法がある。原物が御手本として眼前に在るとはいえ、物理的に接触させて複製するわけではない。視覚によって非接触的に原物を捉え、脳内に再構成されたイメージを再現したものである。鑑真和上像のお身代わり像（***40***）の場合も、専門技術者が原物と同じ脱活乾漆《だっかつかんしつ》の技法で制作した模像であって、原物に似せて作った別の原物であり、それが原物の代役を務める「お身代わり像」に格上げされるためには、「開眼供養」という儀礼を経る必要があった。ここでは、「お墨付き」によって複製が真正の複製と認定されている。

人類学者M・タウシグは、「模倣」（mimesis）は、「視覚的複製」であると同時に、「感覚的物質性」（sensuous materiality）つまり「実質のつながり」や「物質の転移」でもあると述べ、前者は、人類学者J・フレーザーの言う「類感呪術」（模倣呪術）に、後者は「接触呪術」（感染呪術）に照応すると付け加えている。この二種類の呪術は、人類学では周知のものだが、前者は、似たモノ同士は影響し合うという考えに基づく呪術、後者は、ひとたび接触したモノ同士は、その後も影響し合うという考えに基づく呪術のことである。

タウシグの提案を、複製における物理的コンタクトの重要性に注意を喚起するものと、ここでは受け止めたい。物理的に接触させて写し取ると言うと、機械的なプロセスに聞こえるが、感染を伴うような体の触れ合いに類する触覚的なものとしてとらえるべきかもしれない。キリストの遺骸を覆った布に顔貌が転写されてしまった聖骸布《せいがいふ》という聖遺物があるが、あれを拓本の典型として考えてみると、拓本というもののイメージも、密着した身体的な感じを帯び始め、魚拓こそが拓本の本道であるような感じさえしてくる。そこで気づくが、接触とは触覚的なもので、嗅覚や味覚と近縁の身体的なものなのだ。

現代では、複製における物質的コンタクトの役割が減少傾向にある。活版印刷ではインクを塗った活字が紙に密着することによって印字されたので、紙に残された凹凸を指で感じることができた。ところがレーザープリンターやインクジェットプリンターになると、インクは紙に吹き付けられ、いまやPDF形式のデータを作成することが印刷を意味するようになっている。ハンコウも旗色が悪い。「接触しないで写し取る」複製作りの隆盛を前に、「接触させて写し取る」複製作りは影が薄くなりつつある。それとともに姿を消しつつあるのは「手触り」かもしれない。もともとコピーは、特殊な場合を除いて、触覚を犠牲にして視覚を尊重する傾向が強いが、デジタル・コピーになれば、手で触ることができるモノが、そもそも存在しないのである。

48　聖像と踏絵——唇で触れる祈願、足裏で触れる試練

『沈黙』という遠藤周作の小説がある。キリスト教禁制下の江戸時代の日本における、若きイエズス会士ロドリゴ司祭の体験を描いたものである。彼は、かつて神学校で薫陶を受けた尊敬すべき師であるフェレイラ神父が、日本で穴吊りの拷問を受けて棄教したとの報を信じがたく、志願してもう一人の同輩とともに九州潜入をはたすが、捕縛され長崎に連行され、そこで再会したフェレイラ神父は、妻帯して沢野忠庵という日本名を与えられていた。題名の「沈黙」とは、キリシタンたちが拷問され、それでも信仰を捨てずに殉教するその刹那にも「神が沈黙したまま」だったことに由来する。

物語のクライマックスで奉行所の悪臭の充満した真暗な囲いに閉じ込められ、外から聞こえる音を酔っ払いの鼾と思って嘲笑っていたロドリゴに、その声は、穴吊りの拷問を受けているキリシタンたちの呻き声で、彼らはすでに棄教しているのに、ロドリゴが「転ばない」かぎり拷問は止まないのだとフェレイラは教える。そして言う。「わしが転んだのはな、いいか。聞

きなさない。……ここに入れられ耳にしたあの声に、神が何ひとつ、なさらなかったからだ。わしは必死で神に祈ったが、神は何もしなかったからだ」。それを聞いて、終にロドリゴは踏絵を踏む。

「踏絵のなかのあの人は多くの人間に踏まれたために摩滅し、凹んだまま司祭を悲しげな眼差しで見つめている。……「ほんの形だけのことだ。形などどうでもいいことではないか」通詞は興奮し、せいていた。司祭は足をあげた。足に鈍い重い痛みを感じた。それは形だけのことではなかった」(『沈黙』)。

なぜ神が沈黙していたのかという問題は私の手に余る。ここで考えたいのは、踏絵というモノを足というモノで踏むという行為のことである。ロドリゴが踏絵を踏んだ時に感じたのは、心の痛みだけではない。鈍い重い足の痛みである。足の裏に触れた踏絵が、彼が生涯をつうじて最上のものと信じてきた信仰の象徴であることはたしかである。では踏絵というモノは、象徴にすぎないのか。作られたときには質の劣った複製でしかなかったモノが、繰り返し踏まれたことで、キリストの眼差しは悲しげになっている。それはすでに何か別のモノに変じているのではないか。

ボローニャのバジリカ・デ・サント・ステファノという聖堂の壁面に設えられていたレリーフについて、四方田犬彦が『摩滅の賦』に回想を記している。「輪郭の細部という細部が摩滅してしまっているために」何を象ったものか不明だったのだが、後日写真を見直して「聖母子像」

であろうと気づく。四方田は同書で「似たようなマリアの摩滅」、しかし「正確にヴェクトルの向きが逆」のモノについても言及している。パリのイエズス会の会館の「東方殉教の間」で見た踏絵である。

ここで私の想像は、『沈黙』のなかの、ある踏絵の場面へと引き戻される。役人の「形だけのことだ」という言葉を真に受けて踏絵を踏んだ農民たちは、さらに「この踏絵に唾をかけ、聖母は男たちに身を委してきた淫売だと言ってみよ」と命じられて、それはできず、キリシタンであることを「体全部で告白してしまった」。作者の遠藤はそこで「百姓たちが時には基督より聖母のほうを崇めているのを知って心配したくらいでした」というロドリゴの述懐を挿入する。しかしそれは、遠藤の持論であるキリスト教という苗の根を腐らせてしまう日本という「沼地」の特殊性なのだろうか。

擦り減ってしまったレリーフについての四方田の文章は私に、ブラジルのあちこちの教会で、外の眩い陽光と対照的な薄暗がりの中で、人々が祈りながら手や唇で触れてツルツルにテカっていた聖母像や聖人像の足を思い出させる。「信仰の情熱が摩滅という事態をたやすく導き出す例」(『摩滅の賦』)。触れることで確実に成し遂げられているのは、像の表面の摩滅である。それが同時に達成している眼に見えないものは何なのか。そしてそれは足の裏で触れる場合と、掌や唇で触れる場合とでは、どのように違っているのだろうか。

49 ハプティック・ディクショナリー――触感を表す言葉

デザイナーの阿部雅世が、ベルリン芸術大学で設立した「ハプティック・インターフェース・デザイン・インスティテュート」(触覚デザイン研究所)で、「触覚―さわり心地」をテーマに九か国出身の学生たちとともに展開したプロジェクトのひとつに「ハプティック・ディクショナリー」(Haptic dictionary)の制作というものがあった。これは、「触覚に名前をつける」という取組みで、日常生活で触れるさまざまなモノを「さわり心地」で分類して、「それぞれのさわり心地を表現する名前をデザインする」試みである。

母語を異にする学生たちの共同作業の結果、「フワフワ」とか「ポコポコ」といった既存のオノマトペに留まらず、枝毛状の「スプレティヒ」とか、ベルベットのような肌触りの「ハーラー」など、最終的には「さわり心地の基本40語」が考案され、「ハプティック・ディクショナリー」としてまとめられた。またそれと並行して、その言葉にぴったりの素材を探す、そうした素材を作り出す、それをデザインに応用するといった試みを通じて、素材の「さわり心地」に対する触覚を研ぎ澄ませていった。そもそも触覚は、嗅覚や味覚と同様、視覚や聴覚に比べて分析の対象とするのが難しく、長い間ぼんやりとしたままだったのだが、日常生活のなかでは、頭で意識していなくても、「さわり心地」は、良い感じ、嫌な感じといった漠然とした「感じ」をはじめとして、モノや人に対する私たちの印象や気分に大きく影響を与えていて、言葉で説明しづらいだけにかえって、無視するのがむずかしい。

『HAPTIC 五感の覚醒』という展覧会のために阿部さんが制作した作品に、『文庫カバー800ドット』(800 dots – Paperback Cover) という、張りのある特殊紙の表面全体に伝統的な鮫小紋の小さなボッボッツの文様を施したブックカバーがあり、作者は「本のストーリーの「感覚」を、読者の目にではなく、手に直接伝えるブックカバー」(『Sensory Experience Design 感性を鍛え、感性を磨く』) と趣旨を説明している。日常生活で文章をモニターで読むことが増え、電子書籍で本を読む人が増加しつつある今日、かつて書籍がモノとしてもっていた個性は急速に価値を減じつつある。つまり、一字一字書き写した一品モノの手作りの工芸品としての本から脱皮し、一五世紀のグーテンベルクの活版印刷によって決定的なスタートを切った書籍の「情報化」は、五世紀以上を経て最終章に近づき、本の「手触り」はもはや不要になりつつあるのだろう。

モノの「手触り」や「さわり心地」を味わう能力の影が薄くなっているのは、書籍の場合だけではない。「五感に響くデザイン」を掘り下げてきた阿部さんのこれまでの三〇年間で、「感覚体験をベースにした分野横断型のデザイン教育」は重要な柱のひとつだったが、その対象はデザイナーから徐々に青少年や子供にも広げられてきた。そのようにした理由は、「自らが生きる環境を、生身の感覚で知覚する私たち自身の知覚能力は、どんどん鈍くなり、貧弱なものになって」いるので、子供から大人まで、感覚体験デザインの実体験を通じて感覚と感性を鍛えて、「生活環境の質を、自らの感覚で判断する力」をつけていく必要があるという危機感だった(『Sensory Experience Design 感性を鍛え、感性を磨く』)。

『なぜデザインなのか』という本の対談のなかで阿部さんは、デザインとは「人が毎日の生活をいかに大切に慈しむか」という「土壌の上に育って、花を咲かせるものだから」「まずは自らの生活文化をきちんと耕すこと」が大切なのだと言う。実は彼女が「触覚デザイン」に取り組むきっかけとなったのは、素材に潜む感覚的可能性を探求する「サウンド・オブ・マテリアル」というプロジェクトだった。それに因んで言えば、デザインとは、私たちを取り巻く世界に、全身の五感でチューニングすることによって、素材の声を聴きとり、素材のなかに潜んでいて人間の感覚に働きかける性質を発見し、その素材を「あるべき形に開花させる」(『なぜデザインなのか』)営みなのである。

50 触感をつくる、触覚を喜ばせる――触文化の開拓

日々の暮しで触覚が果たしている役割のごく一部しか私たちは意識していない。触感に潜む可能性は、私たちの想像をはるかに超えている。触れる触れられるという現象について、人間はまだほとんど何も知らないのだ。その未踏（あるいは未触）の沃野に触手を伸ばすさまざまな試みが、互いに緩やかに触れ合いながら進められてきた。

素材のなかに潜む可能性への感受性を養い、「マテリアル・リテラシー」（『Sensory Experience Design 感性を鍛え、感性を磨く』）を研ぎ澄ますことが、デザイナーの阿部雅世の試み（*49*）であるならば、「触覚をぞくぞく」させて「触覚を喜ばす」ことによって「五感の覚醒」を狙っているのが、デザイナーの原研哉のプロジェクトである。料理に譬えるならば、阿部さんの作るのは、食材に潜んでいた可能性を最大限に活かす調理法で引き出した小鉢。原さんの作るのは、想像もしなかったような素材と料理法を組み合わせた挑戦的な大皿といった感じだろうか。

原さんが企画した『ＨＡＰＴＩＣ 五感の覚醒』という展覧会では、二四人のクリエーターが

「形や色ではなく「触覚」を第一のモチベーションとして」制作した作品を展示した。言葉では十分に触感を伝えられないので、例を挙げるのは一つにしておくが、パナソニックが作ったジェル製のリモコンは、使わないときは、くたーっとして「寝息を立てて？」いるが、使おうとするとピシッと固くなる。展覧会名の「ＨＡＰＴＩＣ」とは「触覚的な」あるいは「触覚を喜ばせる」という意味であり、「ものの側を考えるのではなく、それを感じ取る感覚の側を注視するクリエーションの態度である」と原さんは説明している（『ＨＡＰＴＩＣ 五感の覚醒』）。要するに、新たな触感を体験してもらうために具体的な作品というモノを作り出すこと、それがデザイナーの目論見である。

他方、「触ることによる主観的体験」としての触感そのものに照準するのが、「テクタイル」という研究者グループで、その名称は「技術に基づく触感のデザイン」（TECHnology based tacTILE design）に由来する。彼らがデザインしているのはモノというより体験であり、「先端技術を活かして、新しい触感体験をつくり出す」。つまり、ふだん意識していない触感を人工的に再現したり、日常では体験しない触感を創作したりする試みである。さきほどの料理の比喩を使うならば、まったく別の素材で同じ味の料理を作るとか、食品でないものを料理として味わわせてしまうようなものかもしれない。彼らが考案した実験は多岐にわたるが、例えば「テクタイル・ツールキット」という装置は、炭酸の入った紙コップの触感をマイクで拾い、それに繋がった振動子を取り付けた空の紙コップをもつ人の触感として再現する。また、別のグループが開発した「心臓ピクニック」というワークショップでは、胸に当てた聴診器から繋がった振動子を心臓ボックス（発展型では、実物大の心臓模型）に仕込むことで、「リアルタイムで心臓の鼓動を再現し、それを自分で体験したり、一緒に参加している人たちに手渡したり」できる。一言でいえば、触感を合成して、未体験の触感体験を可能にしているのである（『触楽入門』）。

ここで紹介したどのプロジェクトも、触覚や触感を他の感覚と対立させているわけではない。人間は「猛烈に敏感な皮膜でできたボールのような存在」で、「知覚体験のすべてはこの皮膜の上で起こる」という意味では、HAPTICとは触覚だけに限定されないと原さんは言う。「テクタイル」の研究者たちは、ほかの感覚や「言語や記憶のような高次の認知機能が触覚と組み合わさる」ことで、ひとつの触感イメージとして感じられるとしている。阿部さんは「自分が生きる、リアルな環境を正確に知覚する器官として、視覚の潜在力を、どれだけ使いこなせているのでしょうか」と問い、触覚に特化しないSED.Lab（感覚体験デザイン研究所）を新しく立ち上げた。確かにすべての感覚は繋がっている。しかしおそらく触覚・触感は、そのハブの役割をはたしているのだろう。いろいろな意味で「原初的」なのである。

51 ウイルス感染を避けて——人間は触れ合わずに生きられるのか

この原稿を書いている二〇二〇年初夏、人類は、ほんの半年前には想像もしなかった事態のなかにいる。「新型コロナウイルス感染症」（COVID-19）のパンデミック、世界的大流行である。「新型コロナウイルス」の人間から人間への感染が確認されて以来、距離を保つことが人間の遵守すべき最重要の行動原則になった。最初は「社会的距離」（social distance）という言葉が使われたが、必要なのはあくまでも「身体的距離の保持」（physical distancing）であると修正された。

日本では「三密」なる言葉が考案された。「密閉・密集・密接」を避ける、つまり換気する、人が集まるのを避ける、対人距離を保つことによって、ウイルスの感染を防ぐという原則である。接触するのは論外、飛沫を浴びるのも危ない、ウイルスは空気中にしばらく漂うので、「間隔・閑散・換気」（「三かん」とよぼう）が生命線というわけである。言うのはやさしいが、実際にどの程度なら安全なのか明確な基準を設けることは難しい。

本章では、私たちが気づかない、あるいは過小評価しているが、「触れ」が人間にとって非常に大事な役割をはたしているという話をしてきた。そこに突然降って湧いた「触るな、近づくな」の大合唱である。しかもいつまでなのか全く不明なのである。この「新しい日常」あるいは「新しい生活様式」とよばれる接触を避ける習慣が、人間関係や社会のあり方に及ぼす影響についての推測は巷に溢れているが、ここでは「触れ」という論点に添って考えてみたい。

感染を防止するために、私たちは、とにかく手を洗え、握手や抱擁はもちろん、不用意に自分の顔に触れるのも控えよと言われている。ただでさえ差別されてきた触覚という感覚が、いままで以上に忌避される方向に進んでいくことは間違いないだろう。それに棹さすように、「非接触型」のタッチパネルも開発中らしい。機器を操作するために、昔は把手を摑んで力を籠める必要があったが、つぎに小さな力でボタンやスイッチを押すだけで、つづいて軽くタッチすれば機器が反応してくれるようになった。そしてもう触れる必要さえない「非接触型社会」への移行スイッチを新型コロナウイルスは押したのかもしれない。

ところで驚くべきことは、「三密」で禁じるのは直接接触だけではなく、二〜三メートル以内、咳やくしゃみで飛んだ飛沫を浴びる範囲なら「密接」なのである。これはどういう距離なのか。「プロクセミックス」という用語を使って、人間が空間をどのように利用するかという問題に取り組んだ人類学者のE・ホールの言うことに耳を傾けてみよう。彼によれば、人間は「密接距離《インティメート》」「個体距離《パーソナル》」「社会距離《ソーシャル》」「公衆距離《パブリック》」という四種類の距離をもつ。「愛撫、格闘、慰め、保護の距離」から「手で相手の手に触れたり握ったり」できる限界である一八インチ位までの「密接距離」、四フィート位までの個人のプライベートな「個体距離」、一二フィート位までの「社会距離」は一般的な社会関係の領域で、その遠い方の端では「人を互いに隔離し遮蔽すること」が可能になりはじめ、それ以上遠くなると「公衆距離」になる（『かくれた次元』）。

この分類は、二〇世紀半ばの米国東部中間層成人を対象とする観察に基づくもので、独仏英日アラブを比較して文化的差異が大きいことについてもホールは言及しているのだが、仮にこの分類を参考にすると、「社会距離」の半分位までは飛沫が飛ぶ範囲なので、ウイルス感染防止の観点から「密接」と判定されることになる。しかし、それ以上近寄らないで、はたして日日の人間関係が成り立つのだろうか。ましてや、親密な人同士の身体的な距離が日常的に近い文化のなかで生きている人々にとっては、ほとんど防護服か宇宙服を着て行動せよと言われているようなものにちがいない。ブラジルの高齢の女性同士が、ビニールのカーテン越しに、とても久しぶりに抱き合って涙を流している映像を目にしたが、「新しい日常」によって剝奪されるものは、目に見えるものだけではない。

物質としての体のかなり外側に、透明なコクーン（繭《まゆ》）のような「新しい体」をまとう別の生物へと、いま人間は変態しつつあるのかもしれない。つまり「蛹化《ようか》」である。

52　インターネットに触れる——人と世界のインターフェイス

一日のうちの信じられないほどの時間、私たちはパソコンやスマートフォンのモニター（ディスプレー）を見つめている。そのとき私たちは何をしているのか。仕事もしているし、気晴らしもしているし、暇つぶしもしている。そして端末はインターネットにつながりつづけている。

昔々、ウィンドウズ3.1というOSの時代。パソコンの向こうにようやくインターネットが姿を現し始めたが、「モザイク」や「ネットスケープ」でアクセスできるサイトの数も限られていたし、動画も音もないページを読むだけだった。それが、ウィンドウズ95の普及とともに、「インターネット・エクスプローラー」が勝利を収めた頃には、パソコンの窓の向こうにインターネットの地平が急速に拡大していた。だがそれはまだ調べものに便利な図書閲覧室のようなものだった。現在につながる状況は、スマートフォンの大々的普及によって、それまでパソコンを使っていなかった人々が、一気にインターネットに雪崩れ込んできて以降のことであり、そこから、あらゆる場所で人間という人間が手にしたスマートフォンの画面を一心に覗き込んでいるのが普通という状況が出現するまでに、さほど時間はかからなかった。

生活自体がインターネットの影響の下で変貌し始め、「我々は、現実の世界とコンピュータで作られた世界の両方に同時に存在するように」なり、「多くの人々にとって、仮想世界は物質世界と同じくらい現実的になって」きた(『クラウド化する世界』)。私たちは、慌ただしくサイトを跳び回り、現実世界と仮想世界の間、物質世界とデジタルデータ世界の間で行き来し、モノからデータへ、データからモノへの変換を頻繁に繰り返すことに、長い時間を費やしている。ここでようやく本題だが、情報の受信は、視覚を中心に聴覚を補助として行われ、触覚の出る幕はほとんどない。他方、情報送信は、いまだに圧倒的に触覚中心で、指先でキーボードやマウスやタッチパネルに触れている。つまり、同じモノに同じように触れることを繰り返して、私たちは世界に触れているということなのだが、なんと貧しく偏った「世界体験」であろうか。

姿勢を変えずに端末を凝視している「ネットサーファー」を傍から見れば、アマゾンのシャーマンがハンモックに横たわってトランス状態でマラカスを振りながら単調な歌を繰り返しているのに、やや似たところがある。そのときシャーマンは、目に見える体はそこにあるが、目に見えない体をまとって異界へと飛翔して、全身全霊・全感覚を動員して、病魔を退治するなり、精霊の援けを要請するなりして活動している。それに引き換え「ネットサーファー」の体は、窃視者のように強ばったままである。主観的には、地を走り、水に潜り、空を飛び、世界中ときには宇宙までテレポートして、異界で盛沢山の体験をしているのかもしれない。しかしそれは誰かがデジタルデータ化したものの枠を出ることはなく、未知との遭遇にみえても実は、既に見たモノや、そうでなくても既視感のあるモノばかりの「鏡の間」のような世界なのであり、彷徨している間、仮死状態のように強ばった手の、指先だけが忙しなく動きつづけている。

それでも戻ってくることのできる「この世界」があればよいが、気づかないうちに現実世界は、インターネットのなかのヴァーチャルな世界のデジタルデータに変換できる丈に切り詰められ、それに見合った解像度で体験され始めているのではないか。インスタグラムの中（だけ）で見栄えのする「インスタ映え」の写真に比べれば、撮られた実物が精彩を欠くように、インターネットの中の異界に比べれば、現実世界は、そのぼんやりとしたコピーにすぎなくなりつつあるのかもしれない。いずれ人々は、インターネットを介さなければ世界に触れることができなくなるのではないか。体が触れているのはカウチ・ポテト・スマホだけなのに、無尽蔵の仮想体験が可能な「魔法の国にようこそ！」。ピノッキオのように遊び暮らすことばかり考えている間に、帰るべきおうちは……。

第六章

見える世界・見えない世界

53 可視光線と電磁波——見えるものと見えないもの

人間には五感あると言われるが、「百聞は一見にしかず」（Seeing is believing.）という慣用句もあるように、視覚がなぜか重視される。電磁波のうちの可視光線だけをヒトという生物は肉眼で見ることができ、それを私たちは色として感知し、赤より波長の長い「光」や、紫より波長の短い「光」は私たちの眼には見えない。もちろん見えなくても人間と無関係なわけではなく、赤外線や電波は暖房や電子レンジや放送などで使われるし、紫外線やX線はダメージも引き起こすが、様々な用途で利用されてもいる。

しかし視覚に過剰に依存している人間にとっては、やはり「見えると見えない」というのは絶対的な境目である。見えるものが存在することは誰もが認めるが、見えないものについては、意見が分かれることも稀ではない。見えないけれど存在すると科学的に証明されているものもあれば、今のところ存在が証明されてはいないが存在すると信じる人がいるものもある。要するに、人間は一定の見える世界に閉じ込められているのだが、見えなくても視覚以外の感覚で感知できるものもある。見えない世界は不明の点がまだまだ多い。

人間の歴史は、見えるものの範囲を広げてきた歴史でもあり、さまざまな装置を発明して、もともとは見えなかったものの可視化に成功してきた。大きな転機が一七世紀における顕微鏡と望遠鏡の発明であることに異論はないだろう。肉眼で見るには小さすぎる、あるいは遠すぎるものを、レンズを活用することによって可視化し、今日に至るまで精度を高めてきた。例えば顕微鏡の場合、一九世紀にパストゥールやコッホが微生物や細菌を見るのに使用した顕微鏡は、一七世紀にフックやレーウェンフックが使用した顕微鏡とは比較にならないくらい性能が向上したものだった。しかしそこではまだ光学顕微鏡の世界だった。やがて電子顕微鏡が登場すると、可視光などよりずっと波長の短い電子線を対象に当てて、透過したり反射したりする電子を捕え、それによって微細なモノの画像を見ることができる。光学顕微鏡では見ることのできないウイルス、例えば新型コロナウイルスの画像なども視野に入ってきた。

望遠鏡の場合も、電波望遠鏡は、可視光線をレンズで集めて観察する代わりに、パラボラアンテナなどで電波を受信して、最終的には見える画像を作り出す。ビッグバンの証拠とも言える「宇宙マイクロ波背景放射」の地図もそうした画像の一例である。要するに、測ろうとする対象に適した網やモノサシを用意しさえすれば、それまで網に引っかからず計測できないので見えなかったものを「見る」ことができるようになるという理屈である。

X線や磁気や超音波によっても、可視光線が透過できないモノの向こう側にあるモノを「見る」ことができるようになった。一八九五年にヴィルヘルム・レントゲンが発見したX線は、紫外線よりもさらに波長の短い電磁波だが、体内の骨が写った写真のわかりやすさもあって、すぐに実用化され、今日でも医療をはじめ、モノを破壊せずに中味を見るために広く活用されているだけでなく、ブラックホールの存在を知ることにも役立っている。体全体に磁場をかけ、水素原子が元の安定した状態に戻るときに出すラジオ波のエネルギーの大きさから、その水素原子の周辺についての情報を得るのがＭＲＩ。超音波は人間の耳には聞こえない高周波の音波で、その反射を利用して対象を可視化する。見えないものを可視化しようとする人間の執念のすさまじさには本当に圧倒される。

しかしそれでも、世界そして宇宙のごく一部が、人間の眼に見えるようになったにすぎない。まだ見えない、あるいは将来も見えないままであろうもの、それらも私たち人間が生きる世界を構成している。谷川俊太郎の『闇は光の母』という詩は、「闇がなければ光はなかった　闇は光の母」で始まる。そして、「眼に見えるものが隠している　眼に見えぬもの」を経て、「光を孕み光を育む闇の　その愛を恐れてはならない」で閉じる。私たちをとりまく闇は、けっして無ではない。

54 見かけと人種差別――目をつぶれば人種差別は無くなるのか

この原稿を書いている二〇二〇年七月、ジョージ・フロイドという黒人男性が白人警官による暴行で死亡した事件に端を発した、「人種差別」に対する抗議行動がアメリカ合衆国をはじめ世界各地で巻き起こっている。その人がどの「人種」であるかによって、その人の人間としての価値や命の重みが違ってしまっているという現実に対する抗議である。

「人種差別」(racial discrimination) とは、人類を一定数の「人種」(race) に分割し、そのそれぞれに割り振られた「生まれつきの属性」を根拠として序列化する「人種主義」(racism) にもとづく差別である。そこでは人間の価値は、身体の外的特徴と必然的な対応があるとされ、「人種」を見分けることは容易だと考えられている。このような「人種主義」は道徳的に誤りであるだけでなく、科学的にも根拠がない。それなのに「人種主義」と「人種差別」がなくならない理由は、当然のことながら単純ではないが、ここでは、「肌の色に目をつぶれば人種差別はなくなるのか」という問いを手掛かりに考えてみたい。

アメリカ合衆国で一九六五年に公開された『いつか見た青い空』(原題A Patch of Blue) という映画がある。セリーナという一八歳の女性が、劣悪な家庭環境の中で暮らしていたが、ある日公園でゴードンという青年と知り合い、彼によって彼女の世界は広がり、やがて友情以上の感情が二人の間に芽生える。この月並みなプロットを月並みでなくしているのは、セリーナが五歳のときに視力を失った白人で、ゴードンが黒人であるという設定だった。公民権法の成立が一九六四年、公民権運動の指導者キング牧師の暗殺が一九六八年という時代背景の中では、二人を照らす一片の「青空」は、周囲の曇天の暗さを際立たせる。原作の小説ではゴードンが黒人であると知ったセリーナは彼と縁を切るが、映画の結末では、彼が黒人と知りつつ結婚を願うセリーナに対してゴードンは、盲学校に行ってもっと世間を知ってからでも遅くはないとたしなめる。

セリーナの眼が見えていたら、二人の関係は別の展開をみせたのだろうか。シドニー・ポワチエ演ずるゴードンが、非の打ちどころのない好青年として描かれているのが実はポイントであり、セリーナは目が見えないからこそ、人種偏見をもつことなく、彼の美しさを理解することができたというのが映画のメッセージである。公民権運動における争点のひとつが「肌の色には目をつぶろう」(color-blind) つまり「平等な扱い」だったことは、それと無関係ではない。確かに件の事件の白人警官は、相手の「黒い肌に目をつぶらなかったから」あそこまで酷い扱いをしたのかもしれない。それならば「肌の色に目をつぶる」ことは解決策になる。しかし、新型コロナウイルスによる被害（感染率や死亡率）には人種的な偏りがあり、その背後には、アメリカ合衆国社会における日常的な不作為の人種差別が潜んでいる。「肌の色に目をつぶる」ことは不平等を放置することにもつながるのであり、人種間の平等の実現のためには、「肌の色による差別という事実を直視する」（color-conscious）ことが同時に必要なのである。

アメリカ合衆国のマスメディアには、「人種」（race）という言葉が頻繁に登場する。その際に「黒人」（black）や「白人」（white）という言葉の意味は自明と考えられているようだが、実はそれほど単純ではない。見かけが「黒人」の場合だけでなく、たとえ見かけは「白人」でも一定以上の「黒人の血」が入っていれば「黒人」というのがアメリカ合衆国の「常識」なのである。しかしそれは、私が長く付き合ってきたブラジル社会の「常識」ではない。そこでは、「黒人」（negro, preto）や「白人」（branco）とは、見えない「血」よりも、階級という要因も加味した「見かけ」の問題なのである。

どちらの社会の「人種」概念が正しいかという問いは的外れである。「人種」など客観的事実としては存在しない。しかし人々が体験する「人種差別」は厳として存在している。全員の眼が見えなくなれば、「人種差別」は不可能になるのだろうか。そうかもしれない。しかしそれで別の種類の差別もなくなる保証は、もちろんない。

55 騙し絵と遠近法——不自然な風景の自然さ

「エイムズの部屋」という仕掛けがある。部屋の外から覗き穴を通して片目で覗くと、何の変哲もない四角の部屋が見えるのだが、部屋の左隅にいる人に比べて右隅にいる人は巨人に見える。種明かしをすれば、部屋が歪めて作られていて、左隅はすごく奥にあるので人間も低く見えるのだ。要するに錯視で、複数の方向からチェックすれば騙されないが、固定された片目で見ているので騙されてしまうのである。この部屋は、遠近法で描かれた透視図のように正確に、歪められている。それを見た人間の眼が歪んだ視像を補正して「普通の四角い部屋」を復原してしまうために錯視が生ずるのである。

ハンス・ホルバインの《大使たち》という一五三三年の作品もまた、人間の視覚を巧妙に操る。この絵では、正面を向いて立っている二人の男性の足元に敷かれた絨毯に楕円の染みのようなものが描かれている。絵画に正対して観ているかぎり、それが何であるかわからない。ところが斜め下方から見上げると、なんとその染みは見紛うことなき髑髏の形をしている。これは「騙し絵」（トロンプ・ルイユ）の一種の「歪曲画法」（アナモルフォーシス）で描かれた作品なのである。二次元の平面に三次元の空間を描いた絵画を三次元の空間で見るという作業は、けっして単純な体験ではない。

人類が絵を描き初めて以来、三次元（あるいは四次元以上の）の世界を二次元の平面（や曲面）に描くには、種々の手法があった。モノの前後関係、遠近関係を表現する技法である「遠近法」にも、遠いモノを近いモノの上方に描いたり、遠くのモノを朧げに描いたりと色々な種類があり、ルネサンス以来の「遠近法」（透視図法）は、そのひとつにすぎないのだが、私たちはそれにあまりにも慣れ親しんでしまっているので、他の「遠近法」とは違って自然で写実的な描写だと思い込んでしまっている。

『〈象徴形式〉としての遠近法』という本で遠近法について子細に論じたエルヴィン・パノフスキーによれば、ルネサンス芸術は、それまでの芸術と違って、バラバラの物体だけではなく空間全体を無限で連続的で等質的な空間として把握するという新機軸を発明した。その新しい遠近法にもとづく絵画は、空間を特定の視点からの光景として平面に写し取ったものであり、それを指してパノフスキーは「視空間の数学化」と呼んでいるが、その結果、絵画は現実の空間に向かって開口した窓になった。しかし誤解を恐れずに言えば、これもまた「騙し絵」の一種にすぎないのである。

私たちは写真を見たとき、それが肉眼で見た光景を忠実に再現していることを疑わない。しかしカメラは単眼なので、モノの相対的な大小や重なり合いしか記録できず、写真を見た人間は、それを手掛かりに遠近を判定する。他方、複眼で見ている人間は奥行や立体感を感じることができる。さらに、人間は動き続けているので、目に映る像も揺れ動き続けている。それに対して、カメラは一瞬を止めて切りとる。要するに、写真は片目でファインダーを覗いた一瞬の光景を再現しているが、それは人間がふだん複眼で見ている現実の光景と同じではないのである。

『フェルメールのカメラ』という著作で、建築学者フィリップ・ステッドマンは、一七世紀オランダの画家ヨハネス・フェルメールによって「カメラ・オブスクラ」という装置を使って「カンヴァスの上に透視図法で描かれた絵に対応する三次元的形状は、原理的には無数にありうる」と指摘している。つまり全く別の現実が、透視図法では同じ絵として表現されうるのであり、「この原理をもとに作られているのが、アデルバート・エイムズの有名な遠近法的錯覚である」。冒頭でふれた「エイムズの部屋」のことである。

私たちは、透視図法的に正しい、いわゆる写実絵画を観ると、現実が忠実に再現されている「自然な光景」と信じ、そこにトリックなど何も介在していないと思い込む。しかし実際には、それが自然に見えてしまうのは、慣れと学習の成果であるにすぎないのである。

56 窓・レンズ・陳列ケース――透すガラスが遮る

ミース・ファン・デル・ローエという建築家がいる。ル・コルビュジエやフランク・ロイド・ライトと並んで近代建築の巨匠と言われているが、荷重を鉄骨の柱や梁で支えることによって解放された壁にガラスを使って、外気は遮断しつつ陽光が差し込む大きな内部空間を生み出した。ガラスを多用した建築の祖型は一九世紀半ばのロンドン万国博の「クリスタルパレス」にまで遡るが、二〇世紀に入ると、ガラスの壁だらけの空間は人々の日常生活を席巻し、それに慣れ親しんでしまった私たちは、遍在するガラスという物質に注意を払わなくなっている。材料科学者のマーク・ミーオドヴニクの言を借りれば、「最も効果を発揮しているガラス、すなわち私たちが現代都市づくりに使っているガラスは平らで、厚くて、完全に透明だが、最も好まれにくく、捉えがたい。最も目に留まらないのだ」(『人類を変えた素晴らしき10の材料』)。

これほどまでにありきたりのものになったガラスだが、長い間、もっと珍しいものだった。実用品としてのガラスは、ローマ帝国時代のガラス窓や鏡やワイングラスに始まるが、まだまだ透明度は低く、窓ガラスは小さかった。その後のガラス製造の歴史において最も注目すべきガラス製品は、やはりレンズだろう。それが顕微鏡や望遠鏡の発明につながって一七世紀の「科学革命」をもたらし、その後も、ビーカーやガラス管などガラス製の実験器具は、さまざまな科学上の発見を可能にした。

ガラスという物質の最も注目すべき性質、光を透過させるので透明になるが、他のモノは通さないで遮るという性質に光を当ててみよう。ローマ人がワイングラスを気に入ったのも、ワインの色が見えるからだった。ステンドグラスも石造りの教会の暗い室内に神々しい光を導入することが眼目だった。ガラスに魅了されたヨーロッパと違って「東洋でのガラスの軽視は延々と一九世紀まで続」き、「日本人や中国人が建物の窓の材料にしていたのは紙で、……異なる類の建築を生んだ」とミーオドヴニクは述べている。たしかに、深い庇に覆われ、縁台や廊下を巡らして、光を取り入れることより、日差しを和らげることに知恵を絞ったように思われる日本の伝統家屋は、亜熱帯の気候を揺籃《ようらん》としている。ファン・デル・ローエのガラス張りの邸宅は、真夏の日本では、温室になってしまうだろう。

ここで人間が入っているガラスの箱ではなくて、モノを入れて人間が眺めるガラスの箱のほうへ話を転じたい。博物館や美術館の展示物を入れたガラスのケースである。改めて言うまでもないが、あれは、手で触れることを禁じつつ、見ることができるようにする装置である。歪みのない透明で大きな板ガラスが可能になるまでは、モノを大事に保管しておくことと、衆人に見せることを両立させることは難しかった。年に一度の秘仏の御開帳などは、その妥協の産物である。それに対して、いつでも展示するという公開の思想がガラスの陳列ケースを支えていて、それはヴァルター・ベンヤミンが活写する一九世紀後半のパリに始まるアーケードのショーウインドウと一続きのものと言ってよいだろう。

しかしここでは、ガラスの向こうに見えるモノではなく、モノと私たちの間にあるガラスという物質に焦点を絞ってみよう。ところがそれが難しいのだ。向こうからの光が透過してしまうからである。実は恩寵の光は別の方向、つまり私たちの背後から来る。それが反射してくれれば、視線を遮るガラスが見える。しかし技術の進歩は恐ろしい、いや素晴らしい。いまや、まるでガラスがないかのように明瞭に展示物が見える、ほとんど反射しない「見えないガラス」も開発されている。

「ガラスケースについて考察する」という論文で宗教社会学者のS・バーンズは、博物館で聖遺物がガラスケースに納められて展示されるおかげで、信者は聖遺物に教会では考えられないくらい接近することができるようになったが、あとほんの少しのところで触れることはできないと書いている。ガラスは、距離を消し去るような素振りをしながら、冷酷にも隔てるのである。

57 胃透視と胃カメラ——輪郭のカタチが示すもの、示さないもの

胃透視という検査がある。まず空っぽの胃を膨らませるための発泡剤を飲み、げっぷをこらえ、そのあとバリウムという白くて不味い物質を飲んで、両手でバーに摑まって器械体操もどきのことさせられたあげく、あれこれの無理な姿勢でレントゲン写真を撮られる。誰が考え出したのか知らないが、病人や老人には負担の大きすぎる検査である。少なくとも私は、病気で入院したときには、やりたくない。器械体操もどきの試練を課す理由は、体力測定ではなくて、胃壁に満遍なくバリウムを塗り付けるためであり、それによって胃の形を映像として記録することができる。そこに腫瘍ができていて胃壁に出っ張りがあったりすれば、レントゲン写真からそれを診断できる。

私も人間ドックで何度かやったことがあるが、今ではもう胃内視鏡検査に切り替えた。いわゆる胃カメラである。こちらの理屈は、胃透視に比べれば素直である。胃の中に入って見ればいい。しかし一九六六年のアメリカ映画『ミクロの決死圏』(原題 Fantastic Voyage) のように医者

を縮小して注射器で注入するわけにはいかないので、代わりに小型のカメラを送り込もうというわけである。もちろん人間の体の方からすれば、こんな変なモノを胃に入れなければならない道理はないので、喉を通ろうとする内視鏡を吐き出そうとする。いくら局部麻酔をしたとしても、この辛さは変わらないが、それはそれとして、ひとたび食道を通過してしまえば、モニター画面に映し出してくれるビデオスコープのおかげで、滅多に見られない自分の体内を目の当たりにできる。こちらは胃透視と違って、胃壁の様子を天然色で見物することができる。しかもライブの動画だ。

胃透視と内視鏡は、こんなぐあいに色々違う。そのうち一点だけに絞って考察してみたい。それは、輪郭に含まれている情報と、まるごと捉えた画像に含まれている情報の違いについてである。両者は正反対というわけではない。どこに焦点を合わせるかという違いである。この違いについて考える手掛かりのひとつは影絵である。インドネシアの影絵芝居ワヤン・クリの革製の人形のように細かい透かし彫りが施されていれば、輪郭以外の模様も観客の目に見えるが、ふつう日本で言う影絵は、スクリーンと光源の間に置いたモノの黒いシルエットだけがくっきりと浮かび上がる。一八世紀ヨーロッパでは、黒い紙で切り抜いた横顔の肖像がひろく用いられ、それがシルエットという名称のはじまりだということだが、横向きの輪郭がまさにその人の「プロフィール」だと考えられたという点が面白い。そこに浮かび上がる頭蓋の骨格の形に年を経ても変わらぬ個性が浮かび上がるということだ。

また別の例として地図がある。国別に色が塗り分けられた世界地図では、国境で囲まれたジクソーパズルのピースのような国土の形が浮かび上がるが、ベタ塗りされた部分については町があるのか森があるのか皆目わからない。この種の地図では輪郭だけに注目するので、その欠損つまり領土の喪失は一大事という印象を与える。他方、山や平野などの地形が描かれた世界地図では、国境を越えて続く河川や山脈が前景化する一方で、人間が引いた国境線の境界としての存在感は著しく薄まる。北から南へイムジン河は水清く滔々と流れるのである。

近頃では人間ドックでも、胃透視検査より内視鏡検査のほうが推奨されているらしい。色合いを始めとする情報の量と豊かさ、さらに連続した動画として記録できれば、より高精度の診断ができるというわけである。「ビッグ・データ」が喧伝され、データが多ければ多いほど良しとする価値観が強まりつつある時代にあっては、輪郭しかわからないのでは、まったくお話にならなくなってきているのだろう。しかし、輪郭には輪郭ならではの味がある。読影医が厳しい眼差しで注意を集中する胃壁の僅かな凹凸。細部がわからないからこそ子供の想像力を掻き立てる影絵の黒い形。他方、国境警備の監視兵が銃口の照準を合わせている国境線というのは、味わい深さには程遠い。

58 イメージ図のリアリティ——微小世界と巨大世界

「新型コロナウイルス」(SARS-CoV-2)がどのような姿をしているのか、大抵の人は見たことがあるはずだ。しかし、もちろん肉眼では見えない。もし見える人がいたら大金持ちになれる。実は光学顕微鏡で見るにも小さすぎて、私たちがテレビやインターネットや新聞などで見たことがあるのは、電子顕微鏡写真である。確かに太陽のコロナのようなものが回りを取り巻いている。「新型コロナウイルス感染症」(COVID-19)を引き起こしている犯人の実像である。けっして手配用のモンタージュ写真でもなければ似顔絵でもない。

近年、「これはイメージ図です」という但書付きの画像を目にすることが多くなってきている気がする。そのなかには、実像でないことが一目瞭然のものがある一方で、CGなのか実写なのか俄かには判断がつきかねるようなものも少なくない。後者に含まれるものは、肉眼では見ることができないものが多い。例えば顕微鏡でしか見えないウイルスのような微小なモノ、あるいは望遠鏡でしか見えない星雲のような巨大なモノである。地球から七〇〇〇光年離れた

「かに星雲」の画像が実写なのかCGなのか、実物を見たことがない私たちとしては判断のしようがない。

「イメージ図」が日常生活に氾濫するようになってきた大きな理由が、CG技術の長足の進歩であることは間違いない。実物さながらの「イメージ図」が、つぎつぎと生み出されている。実写可能なモノでさえ、経費が理由か見栄えが理由かはわからないが、CGで作成されているかもしれない。例えば、月を回る軌道上に浮かぶ宇宙ステーションや、火星の地表にある基地の画像ならば、まだ実在していないのだからCGとわかるが、漆黒の宇宙空間を背にした青い地球の上に浮かぶISS（国際宇宙ステーション）の雄姿を見るとき、それが「イメージ図」ではないと言い切れる自信がない。

私のPCのロック画面は、探査機キュリオシティが撮影した火星の地上風景なのだが、私の勘違いで実はCGの「イメージ図」だったと判明しても、本物に差し替えないかもしれない。バラ色とココア色の中間のような色の、遠くに丘が見える石ころだらけの火星の地表のあの風景に慣れてしまっている私としては、ただちに頭を切り替えることは難しい。私にとっては、あれが火星の風景なのだから。

もう一度、微小世界のほうに立ち戻ってみよう。ウイルス絡みのもので良く見かけるのが、薬効や免疫などの機序を説明する「イメージ図」である。実物っぽさを残しつつ、普通はかなり様式化されている。その点では、私の愛用している『ぜんぶわかる人体解剖図』も同様で、どこにも実在しない標準的な人体のイメージが単純化して描かれているのであり、「ぜんぶわかる」ためにそうした手法が有効であることは確かだ。

要するに「イメージ図」は、複雑な現実に惑わされることなく、「わかりたいモノ」が無駄なく「わかる」ために役立っている。別の言い方をすれば、私たちは、何であれ実際の姿を単純化して「イメージ図」として理解するのだろう。さらに言えば、私たちの脳は、特定のモノ・情景・生物種・人の顔などを、取捨選択した情報だけで組み立てられた「イメージ」として認識し記憶しているのかもしれない。そうであれば、本物が本物として認知されるためには、保存された「イメージ」に合致することが必要なのではないか。そして現代世界においてCGを駆使した「イメージ図」が急速に増殖しているのであれば、私たちの頭脳の情報処理の様式における変化が、それに随伴しているにちがいない。

きっと「新型コロナウイルス」の多数の「イメージ図」の場合も、もっともそれらしいものが、他のものを徐々に淘汰していくことが予想される。そう思って、インターネット上の画像を検索してみると、モノクロの電子顕微鏡写真とならんで、カラフルな待針が刺さった針山のような立体の図像が溢れていることに驚いた。あのドギツイ配色は、どこから湧き出てきたのだろうか。あの毒々しさが「新型コロナウイルス」らしいというのだろうか。しばらく帰趨を見守ってみたいと思う。

59 放射線を出す物質——瀰漫する見えない何かの気配

放射線は人間の肉眼では見えない。なぜだろうかと、ふと思う。自然状態で存在する微量の放射線については、見えなくても困らなかったからではないか。そして、致死量の放射線を人間がわざわざ発生させるという、自然が予想しなかった状況が出現して初めて、見えないことが問題になったのだ。

国立新美術館で二〇一九年に開催されたクリスチャン・ボルタンスキーの回顧展に《ミステリオス》という作品が出展された。南米のパタゴニアの海岸で撮影されたこのビデオ作品は、三面の大スクリーンにそれぞれ、黒い三つのオブジェ、クジラの骨格、そして海を映し出していた。作品解説によれば、「ラッパ状のオブジェを用い、クジラからの反応を期待してコミュニケーションを試み」たということだが、私には、その黒いオブジェが戦闘機の尾翼の残骸に見え、クジラの遺骸も相俟って、生き物が全滅した後の風景のようだった。《アニミタス（白）》という別の作品は、カナダ北部の荒涼とした雪原の風景を壁全体にひろがるスクリーンに映したビデオ作品で、雪原に突き刺さった何百本もの細い竿の先端から糸で吊られた風鈴が、小刻みに揺れて、白い曇天を背景に「チリリン、チリリン」と不規則な音を響かせる。賽の河原を彷彿とさせる音風景《サウンドスケープ》は、まるで人類滅亡後に残留している不可視の物質を検出しているようだった。作品解説には「実際に形のある一つの作品を残すことよりも、神話を作り出すという願望を表わしている」とあったが、私にとっては、この二つの作品のどちらもが、見えているモノの背後あるいは傍らで、存在するのだが見えない何かを暗示していた。核爆弾や原子炉や放射性物質や放射性廃棄物という眼に見えるモノの傍らで、放射線が不可視なままに瀰漫《びまん》しているように。そういえば、あの雪原はかつて訪れたことのある米国西部ホワイトサンズの白い砂丘に似ている。その砂丘は広大なミサイル実験場の一部で、北側のエリアには世界初の核実験が行われたトリニティ・サイトがあり、そこでそのとき世界で初めて原子爆弾による被爆者が生まれた。

人類学者の内山田康は、遠く離れた土地をつないだ構築物である「原子力マシーン」のことを語る。廃炉を待つ原子力発電所のあるフクシマ、日本の原子力発電所の使用済み核燃料の再処理工場のあるフランスのラ・アーグそして英国のセラフィールドを遍歴し、「原子力施設の事故が起きた場所や再処理工場が稼働する場所は、放射能汚染を引き寄せる」(『原子力の人類学』)と記す。見えない放射線は、理論通りに減少するどころか、特定の地域に沈殿して増加してゆくのだ。その傍らで、放射性物質を隠した海辺の美しい土地では、人々が海で泳ぎ、釣った魚を食べ、放射線は、人体も含めて、満遍なく行き渡ってゆく。胎児性水俣病の李太郎少年の爺さまは、「魚は天のくれらすもんでござす。天のくれらすもんを、ただで、わが要ると思うしことって、その日を暮らす。これより上の栄華のどこにゆけばあろうかい」(『苦海浄土』)と言う。

福島第一原発事故から九年を経た今年(二〇二〇年)の春、すでに一二〇万トンに達した「処理済み汚染水」つまり、放射性物質によって高濃度に汚染されたが、トリチウム以外は除去済みとされる液体を、水で薄めて海洋に放出する案が、経済産業省によって有力案として提案されている。「トリチウムの放射線影響は小さく、トリチウムを含む水は国内外の原子力施設で海に流されている」というのが経産省の説明である。それに対して、風評被害を心配する漁業従事者をはじめ反対の声も大きい(「朝日新聞デジタル」二〇二〇年三月一八日、他)。

海洋放出以外に、水蒸気にして大気に放出するという案もあった。ボルタンスキーの《ミステリオス》の三番目のスクリーンの海と、《アニミタス(白)》の風鈴を揺らす雪原の風。自然なレベルを超える放射線を出す物質が瀰漫する海や大気は、きっとあんなふうに、見えないモノの存在を暗示することになるにちがいない。

60 電気と神霊——遍在する見えないパワー

現代では、電気なしでは生活も社会も成り立たない。それなのに、電気が色々な意味で「見えない」ために、事故や災害で電力の供給が停止するまでは、それが空気や血液のように重要であることを忘れがちである。とはいえ、空気や血液と違って、つい二〇〇年ほど前まで、人類は電気なしで生活していたのである。

息子がたしか四歳半位の頃、「電気ってなあに?」と質問してみると、「明るくするもの」と答えた。「電池は?」と聞くと、「ケータイとかに入ってる」。「ケータイの電池を充電するとき、何かが減ったから充電しているの?」と誘導尋問すると、「わからない」。「電気と関係ないの?」と尋ねると、「ピカピカあかりはつくけど……」。つまり四歳児にとって、電気とは電燈のことで、「あかりがつく」ことが電気の存在とイコールであり、電池に蓄えられている電気が機器を作動させるというわけではなかった。

しかし大人にとっても実はあまり変わらない。私たちは日常的に「電燈が点いている」ことを「電気がついている」と言うし、機器の充電中にランプが点灯したり点滅したりしてくれなければ、電気が来ていたり、電気をチャージしていることがわからない。電気が見えないが実在していて、多様な仕事をしてくれることについて、現代社会の常識人は、なんの疑いも持っていないが、その仕組みについては大抵知らないままである。となると、背後で力を及ぼしている不可視のモノが、電気であっても神霊であっても、たいした違いはない。そもそも、一九世紀末に電気が実用化され始めたとき、それは実に奇妙なものだった。

電気は、それ以前の技術を代替するかたちで登場してきた。ローソクやランプやガス灯が電燈に、蒸気機関車が電気機関車に、郵便が電信に、新聞がラジオに、竈《かまど》や囲炉裏《いろり》が電熱器に、暖炉が電気ストーブになるといった具合だ。注目すべきは、その過程でエネルギーの出所が人々の視界から消えたことである。汽車では石炭を罐《かま》に投入し、竈では薪を燃やして、燃料がエネルギーに変換されるのを目の当たりにできた。ところが電気は、使用場所から遠く離れた発電所の、一般人の目に触れない場所で発電されるようになり、そこから送電線や電線を通って運ばれてくる電気は眼に見えず、電燈が点いたり、音が発生したり、モノが動いたりしてはじめて、電気が来て働いているとわかる。雲を摑むような話である。

不可視だが超人的な仕事をするという電気の不思議な性質が、電気の無限の可能性の追求へと人々を駆り立てた。例えば一九世紀後半のアメリカ合衆国では、照明・暖房・動力としての電気利用に先立って、医療への応用が試みられた。電気療法の根拠は、当時広く受け入れられていた、動物の神経エネルギーを電気と同一視する考え方だった。例えば神経科医のG・ビアードは、「神経力」が衰弱して起きる一群の症候を「神経衰弱」と名付け、「若いアメリカ社会の特徴、特に電報、鉄道、新聞、科学や政治的・宗教的自由主義の環境など」による心理的負担に起因すると考え、電流を補うことが治療になると主張した（Building and Architecture of Power）。今でも整骨院で「電気をかける」治療はあるが、「神経力」補填のために電気をチャージするという話は聞かないし、そもそも夏目漱石めいた「神経衰弱」という語も医療の現場では死語になっているだろう。

電気はまた、神出鬼没であるがゆえに、前近代であれば神霊あるいは魔術の働きと考えられていた現象の説明のためにもおおいに利用された。稲妻の正体が電気エネルギーの放出であるという発見などは、科学が容認する範囲に収まったが、そうでない「発見」も多かった。例えば、一九世紀後半の欧米社会で流行した「心霊主義」では、霊界との交信といった霊的現象にも電気に似た力が介在していると考えられたのだった。

電気の用途がどんどん広がっていくにつれ、逆説的だが、電気の摩訶不思議さは強まりこそすれ弱まりはしなかったのではないか。私たちは、無限の力をもつ見えない電気の魔法から、もう逃れることができなくなってしまっているのだ。

61 気という変幻自在な物質——空気や霊気や元気や電気

電気、磁気、空気、天気、元気、病気、霊気。見ての通り、どれも「○気」という単語だという点で共通している。だが、英語では、electricity, magnetism, air, weather, vigor, illness, aura となり、どこにも共通点はない。しかし、日本語を長年使ってきた身としては、そこに共通点を感じているような気もする。それはどのようなものなのか、ちょっと考えてみたい。

因みに皮膚科学を専門とする傳田光洋の『第三の脳』という本には「古代では眼に見えないエネルギーや情報の流れを、総じて「気」と称していたようです。近代科学の成立でその実体が明らかになった「気」には、「空気」「電気」「磁気」などがあります。現代、「気」として特別扱いされているものは、古代から人々がその存在を感じつつ、未だその正体が明らかにされていない現象である場合が多いでしょう」という解説がある。

「その存在を感じつつ、未だその正体が明らかにされていない」という辺りがポイントだという気がする。肉眼では見えないので、「気」を感じるには皮膚感覚が中心的役割を果たしているだろう。皮膚の専門家に御登場願った所以である。しかし、その「○気」が、いずれは科学的に明らかにされると信じている人もいるだろうし、科学的に正体を解明するのは不可能だと考える人もいるだろう。つまり意見が分かれる。例えば「霊気」だが、「霊気の実在を実証する」ための研究が研究費を獲得できるかどうかは、申請先に依る。「世界霊気現象解明財団」(なんてものがあるとして)だったら出資するかもしれないが、「日本学術振興会」の科学研究費補助金に採択されるのはちょっと難しい。

つぎに「気○」という単語。気分、気合、気力、気迫、気勢、気概、気風、気色、気品、気脈、気配と幾らでも出て来る。ここに並んだ単語をみると、最初の五つは、主体のある時点における心身状態を指していて、順番に強度が上がっていく感じがする。つぎの四つは、客体に備わった持続的な性質を形容するものだが、価値判断を含んでいる。最後の二つは、それぞれ主客の関係と辺りの状況を指していると言えそうだ。そこから浮び上がって来るのは、千変万化だがそれ自体は固定した本質をもたない「気」という物質である。再び冒頭の「○気」のリストに戻ってみると、こちらも変幻自在で、一時たりとも静かに止まっていない物質の感じがある。

要するに、目に見える物質の世界の背後に、目に見えない流動的な「気」が存在して、それは、ときに「たたずむ」ことはあっても、「たゆたう」ことを本性としていて、それが目に見える物質の世界の変化を生み出す。私たちにとっての「気」がそのようなものなら、訳語を新規に考案するのではなく、変幻自在な電気と磁気に「気」という字を充てたセンスは理解できる。また、空気の配置の変化によって天気が移り変わり、「気」の配分が失調して元気な状態から病気になると考えれば、たしかに、「気」という語の使われ方には共通のセンスがあるようだ。「気」という物質に、あえて視覚的イメージを与えるなら、シャボン玉のようなものかもしれない。仮にそうだとすると、科学者はともかく、日本語を使用している普通の人たちにとっては、電気や磁気も計量できるようなものではなく、元気や霊気と同じくらい、形がなく、摑みどころのないものなのだろう。

ICカードの仕組みは、「読み取り機から出る「磁力線」をカードのコイルでキャッチし、カードのICチップに電気が流れる」(「日経電子版：ライフコラム子どもの学び」)というものらしい。つまり、電気と磁気が目まぐるしく入れ替わって情報を伝えあっているわけだが、改札を通っている御本人は、改札機とICカードの間で「気脈を通じた」ことが「ピッ」という音によって確認できれば、それ以上なにも気にする必要はない。もしかすると近い将来、お墓参りで「功徳ポイント」を溜められる「霊気カード」が開発されたとしても、皆さん平気で使いこなすのかもしれない。お彼岸はきっと「ポイント5倍デー」になるだろう。

62 夢幻能——ワキの目に映る世界を見物する

能の脇役である「ワキ」が演ずるのは、「諸国を廻る僧、神職、武士など、現実に生きている男性のみで、面をかけることはない」(『the 能楽ドットコム』)。いかにも地味な脇役という感じがするが、その通りなのだろうか。ワキ方の能楽師である安田登によれば、「ワキとは「分ける」人であり、そして「分からせる」人」であり、ワキが観客に「分からせる」のは「シテの正体」なのだという(『異界を旅する能』)。では、観客はなぜシテつまり主役の正体が分からないのか、ワキはどのようにして分からせることができるのか。この辺りが実は、「夢幻能」とよばれるジャンルの核心になる。

「ワキが異界の住人であるシテと出会う物語」というのが、安田さんによる「夢幻能」の定義である。しかしシテの多くは「神様や幽霊などの不可視の存在」なので、私たち観客はシテ方の演ずる神霊も、その神霊の住む異界も見ることができない。では私たちが実際に舞台の上に見ているものは何なのか、実はそれは、特別な能力を備えたワキの目を通して見えた光景であり住人なのである。一言で言えば、ワキは、通常は不可視のものを私たちが見ることを可能にする装置なのである。

人間は歴史上、見えないものを可視化する装置や仕掛けを考案してきたが、常人を超えた能力をもつシャーマンのような人間を介して「見えない世界」にアクセスする手法は、古今東西ひろく採用されてきた。能舞台の隅に控えるワキもまた、一種のシャーマンだと言うことができる。但しワキは、典型的シャーマンのように、自身が舞い踊るわけでもなければ、トランス状態に入るわけでもないし、託宣を下すわけでもない。またシテが体現する不可視の存在を積極的に呼び出すわけでもない。主導権を握っているのは、この世でやり残したことがあって彷徨っている存在の方である。ワキが演ずる旅の僧などは、たまたま行き掛かっただけであって、見ようとしているわけではないのに、ワキにはそれが見えてしまう。そうした受け身の能力を安田さんは「消極的霊力」と呼び、能の「羽衣」(*28*)を例に引いて説明する。羽衣は「ずっと前からそこにあった」のに、漁師の白龍(伯龍)以外にはそれが見えなかった。同様に、霊もずっとその場所にいたのに、それを見ることができたのはワキだけなのである。つまりワキは、見えない異界にチューニングしてしまう受信機・受像機と言うこともできる。

代表的な夢幻能である『井筒』は、在原業平に縁のある寺で旅の僧が出会った里の女が、業平の妻という正体を明かして消え、夜になって仮寝をする僧の夢の中に、その井筒の女が業平の形見の冠と直衣をつけて現れて舞うという物語である。夢幻能では必ずワキの夢の中にシテが現れるわけではないが、夢が異界にチューニングするまた別の回路であることはたしかである。私たちも夢の中で、もうこの世にはいない懐かしい人々に出会うことがあるが、「夢を生きる」ことに生涯を費やした、明恵坊高弁という、鎌倉時代初期の禅僧がいて、一九歳から六〇歳で亡くなる一年前までの夢を書き留めた『夢記』を遺した。明恵は、『春日龍神』という能でワキ方が演ずる登場人物ともなっているのだが、文殊菩薩のような力ある存在と夢の中で出会い、その体験から知恵を体得する姿は、まさにシャーマンである。白洲正子は、明恵にとって「夢の世界」は「道場」だったと記しているが、たしかに彼にとって、ひとつひとつの夢は、いわば公案だったと言えるかもしれない。

しかし、明恵の見る夢がどれほど素晴らしくても、私たちはライブで立ち会うことはできない。それに対して夢幻能は、目の当たりにしている現実がじつは層を成していて、常人の目には見えていなくとも別の層が同時に存在していることを実感させてくれる稀有な体験なのである。その別の現実を「異界」と名付けることは可能だが、見えないだけで思いのほか近くに存在しているらしいので、むしろ同一の現実の「異層」と呼ぶくらいが相応しいのかもしれない。

第七章

千変万化・生生流転

63 消えモノの任務――燃やされたり、流されたり、食べられたり

「消えモノ」というのは、広告写真の撮影、劇の上演、ドラマや映画の撮影などで、消費してしまうので無くなってしまう小道具を指す業界用語らしい。無くなってしまうから無駄だなどと誰も言わないのは、「無くなる」という役目を立派に果たしているからである。ドラマの家族団欒の場面では、食卓に並んだ料理を本当に食べながら歓談しなければ団欒にならないし、証拠隠滅のために犯人が燃やしてしまう書類は本当に灰にならなければ困ったことになる

撮影の現場以外でも、消えモノは色々ある。たとえば儀礼や儀式や祭礼で使うためだけに作ったり買ったりして準備して、終わった時には無くなってしまっているモノである。大抵の場合は、食べてしまう、燃やしてしまう、河や海に流してしまうような小道具で、具体的には御札・御幣《ごへい》、飾り物、生花、ローソクやお香といったものであり、供物としての性格をもつものもあれば、消滅すると同時に「穢れ」や「厄」を祓う役目を果たすことになるものも少なくない。大道具に類するような消えモノもある。例えばバリ島で遺体を収めて焼く牛型の「火葬

棺」。初盆のときの精霊流しで死者の魂をのせて流す、提灯や花で飾られた「精霊船」。西アフリカの川の女神が海の女神に転じたイエマンジャを祀って、大晦日のブラジルの海岸で、献上品の花や香水や鏡や人形などをのせて沖合に投ずる小舟。こうした儀礼用品の場合、こちら側にいる私たちの目には「消えてしまう」が、見えない世界へと移り、見えない存在へと手渡されているということなのだ。したがって、もし消えモノが満ち潮に乗って浜に戻ってきたりしたら、それは拒否されたことを意味するので大変困ったことになる。

モノの永続性＝耐久性を重視し「保存・保管」を金科玉条とする立場からは、消えモノは目の敵にされることになる。貴重な品々を盛大に消尽してしまう儀礼として人類学史上名高い、アメリカ北西沿岸地方の「ポトラッチ」に対する外部社会からの非難の核にも、そうした功利主義的な価値観があったのだろう。しかし、いくらもったいなくても、消えて無くなってくれなければ、そもそも作った意味がないモノが、人間の世界にはたくさんあるのだ。

現代社会の消えモノには、すみやかに消費される贈答品も含まれているようだ。典型的には石鹸とか洗剤とか食用油の類で、後腐れのない贈答品なので、受け取る方も重荷に感じなくてすむということらしい。社会学者M・モースの『贈与論』を持ち出すまでもなく、贈与にはお返しの義務がセットになっており、返礼を完了するまでは、負債は継続し、贈り手と受け手の関係も続くことになる。そうした贈与の効果を考えれば、消えモノの贈答品というのは、過剰な負債の発生を回避するのに好都合であることは間違いない。しかし消えるからこそ、お中元やお歳暮などのかたちで、贈与が定期的に反復されることによって、社会関係が定期的に更新されて続くということもあるだろう。

ここまでみてきて、消えモノに関して、ひとつ重要な点に気づく。それは「消える」というのは、けっしてゴミになるということではないことである。例えば儀式やパーティや運動会などが終わって片付けをする際に、そこで使われた品々のなかで、汚れたり、壊れたり、再使用できないといった理由で、ゴミとして廃棄されるモノが発生する。これは消えモノではない。何が違うかと言えば、消えモノは、予定通り物事が進行した場合、しかるべき頃合いに、しかるべきかたちで「消えていくモノ」であるのに対して、ゴミは、消えることは予定になく、終了時に処理が必要な残滓《ざんし》として留まってしまったモノなのである。運動会のパン喰い競走のパンは消えモノだが、パンを吊るしていた糸や紐はゴミになる。消えモノがうっかり消え損ねたらどうなるだろうか。夕暮れの体育館の前、段ボール箱の底にたったひとつ残っていたパン喰い競走用のパンを思い浮かべてみよう。「きれいに消えていく」のは望ましいだけでなく、なかなか難しいことなのである。

64　暖房と火炙り——火がもたらす可逆的あるいは不可逆的な物質変化

火は、物質を変化させる強力なエイジェントである。焼夷弾で火の海と化した都市、容易に鎮火できない森林の山火事。メラメラと炎が全てを舐め尽くし、パチパチと可燃物がはじけ、見る見るうちに様相を変えてゆき、鎮火後には、見る影もない黒々とした焼跡が無惨な姿を晒している。これは「破壊のエイジェント」としての火である。その一方で、適切にコントロールされた火は、有益な数々の物質変化をもたらす。世界中の神話伝承で、人間の起源や死の起源とならんで火の起源の神話がメニューの筆頭に位置し、人間が火を手に入れた経緯がさまざまな形で語られてきた。そこには、破壊ではなく創造、言い換えれば「文化のエイジェント」としての火についての想像力が花開いている。人類学においても、J・フレーザーの『火の起源の神話』を始めとして、膨大な研究の蓄積があるが、ここでは、暖まることと焼けることとの「あわい」から話を始めたい。

近頃は、垣根の曲がり角での焚火は禁止されてしまって、囲炉裏や火鉢も骨董品化して、掘炬燵すら珍しくなったので、直火を暖房に使う場面は少なくなってしまったが、人間の長い歴史で、火によって体を暖め、炎を見つめて心を暖めることは、生活の中心にありつづけた。ましてや氷期の寒冷な気候の下では、暖房としての火の管理が死活問題だっただろう。火に関して、火種を絶やさないことがまず大切だが、火傷をしないことも重要である。暖まるつもりが自ら焼肉になったのでは元も子もない。

火にあたると暖かいのは、体内の分子が活発に運動するからだが、冷めれば元に戻る。しかし焼けてしまうのは不可逆的変化である。ところが、暖かくて気持ち良いと感じる温度と、火傷する温度は、截然と分かれてはいない。日本熱傷学会のウェブサイトによれば、熱傷（医学では火傷と言わない）とは「熱湯・火などの熱によってもたらされる皮膚および生体の変化」であり、「低温やけどは、心地よいと感じる温度（四〇度～五〇度程度）のものに長時間皮膚が接することで起こります」とあった。もっと高温例えば七〇度ならもちろん一瞬でも火傷するが、ぬくぬく、ぽかぽかと暖まっている体験は、重症の熱傷によって死に至る体験と地続きなのである。

私たちは寒ければ体を暖めるが、体を焼こうとはしていない。その例外が少なくとも三種類ある。火葬にする、火炙りにする、焼いて食べる。このうちどれが最も尋常でないのかを言うのは難しい。火葬など身の毛もよだつと考える人たちがいることを否定はしないが、残りのふたつのほうに軍配は上がるだろう。生きたままの火炙りと食人のどちらが常軌を逸しているかは何とも言えないが、食人について論ずるのはまた別の機会に譲りたい。

　中世から近世にかけて、西洋では、公開処刑の方法として盛んに火刑（火炙り）を活用していた。そのピークが「異端審問」や「魔女狩り」である。西洋史家の浜本隆志が『拷問と処刑の西洋史』という本のなかで、一四一五年のヤン・フスと一四三一年のジャンヌ・ダルクの火刑の様子について詳細に紹介しているが、中世後期から近世までのドイツ領邦で実施された処刑全般について概説するなかで、火刑は魔女、異端、獣姦、近親相姦、放火、国家反逆、累犯など重罪に適用されたこと、苦痛が長引く刑であったこと、多くの見物人が集まって劇的効果があったことを報告している。

　火刑ならではの特徴として、すべてが灰燼に帰す処刑だったことも付け加えたい。灰を川に流してしまえば「聖遺物」が残留して流通するのを阻止できたのである。それも含めて、徹底的な「破壊のエイジェント」としての火の特性が遺憾なく発揮される場面が、火炙りの刑だった。「異端」や「魔女」という罪状は、基本的に「いいがかり」や「でっちあげ」で、誰もが密告され拷問の果てに有罪宣告を受ける可能性があるような曖昧さを帯びていた。社会に漂うそうした不安の原因を可視化し、公衆の面前でそれを糾弾して破壊するために、すべてを滅ぼす燃え盛る炎ほど相応しいものは他になかったのだろう。

65 調理という科学実験——物質を変化させて食べられるようにする技

牛肉を捌いたり、刺身を造ったりというのは、熟練を要する技術ではあるが、切り分けただけで物質としては変わらない。それに対して、火を使って化学変化を引き起こす調理は、ある物質から全く違った物質へと変化させるもので、原子の組み換えが起きている。それは一種の化学実験であり、一見すると縁遠くみえる鍛冶屋や錬金術につながる類の技術なのである。物質を変化させるそうした技は、理屈が解明されるまでは、人々の目には魔術のようなものと映ったかもしれない。鍛冶屋や錬金術の場合は確かにそうだった。しかし、日々繰り返されていた加熱調理については、その不思議さに人々が驚嘆していたという状況を想像することはちょっと難しい。調理はなぜ魔術ではなかったのだろう。

食べるために物質を加熱して別の物質へと変化させるという技術を人間はどのように手に入れたのだろうか。自然発火の火事の焼け跡で、焼けた木の実や獣の肉を偶然に発見し、つぎには意図的に加熱して実験してみて、そこで得られた知識を篩《ふるい》にかけるようにして、あてになる技術を、ひとつひとつ獲得してきたのだろう、というまことしやかな物語が語られることが多い。確証はないが、まあそんなところだろう。では、そうした実験によって獲得された貴重な技術は、皆が同じように共有していたのだろうか。

金属を生み出す鍛冶屋は、しばしば特殊技能集団として、社会のなかで他の人々とは一線を画す存在だった。それに対して調理は、支配階級お抱えの調理人たちを除けば、専門家集団が独占する特殊技術にはならなかったようである。その理由は、それが誰にとっても生き延びるために不可欠の技術だったからということだろう。その結果、調理という技術に含まれている物質についての深遠な知識が看過され、誰でもできる単純かつ凡庸な仕事とみなされて、日々の食事を調理する仕事に対する謂れのない軽視にもつながっていったのではないだろうか。

ところが、専門家任せではなかったこれまでとは打って変わって、調理が急速に特殊技能化しつつある時代に私たちは遭遇しているのではないだろうか。それは炊事という技術に対する評価が高まったという意味ではなくて、外食やデリバリーは言うまでもなく、インスタント食品や冷凍食品やレトルト食品を始めとして、シロウトは与り知らない技術で製造された調理済あるいは半調理済の食品への依存度が日増しに増大しているという意味である。もちろん世界的にみれば、まだまだ多くの時間を炊事に費やしている人々がたくさんいるので、現代日本の状況を安易に一般化するのは慎まなければいけないが、加工製品としての食品が食事のなかに占める割合がいま急速に増加していることは否めないだろう。

そこで注目したいのは、加工食品への依存そのものというより、火加減を見ながら調理して、見た目や音や匂いに注意を払いつつ食材を料理へと変換する技術から、大多数の人間が遠ざかりつつあることである。自分が調理しないだけでなく、調理しているのを見る機会すら減りつつある生活を多くの人が送っているのではないだろうか。そしてそれは、火を利用することを学んでヒトが人間になって以来受け継いできた、「火を操る知」と縁を切りつつあることを意味するのである。長きにわたって、調理をつうじて、人間は火と対話を続け、それによって「破壊のエイジェント」としての火を手なずける技を身につけ、「変化のエイジェント」としての火を活用する術を体得してきたのである。さまざまなものが調理されて私たちの体の一部をつくりだす。私たちの体は分解されて他のものたちの食べ物になる。枝から落ちた渋いドングリを食べるにはどうしたらよいのか、青酸を含む有毒マニオクはどのようにして食物になるのかといった「知」は、個々の「方法《ノウハウ》」にとどまるものではない。それは、物質を変化しつつ循環する全体的プロセスのなかで理解し、素材とともに世界の一部をなしているものとして自己を理解する「総合的な知」なのである。

66 間　あそび――隙間は何もないわけではない

人類学者のE・ホールは『かくれた次元』で、西洋と東洋では「空間それ自体がまったく異なって知覚されているのだ」「西洋では、ものの配置を知覚し、それに反応するように、そして空間は「空虚」だと考えるように教えられている。このことの意味は日本人と比較したとき明らかになる。日本人は空間に意味を与えるように――空間の形と配置を知覚するように――訓練されている。このことを表わすことばがマ（間）である」と述べている。「間」についての東西比較論や日本文化特殊論は無尽蔵にあるが、その基調がこの文章に明瞭に現れている。ここでは、ホールの主張を検証する代わりに、モノとモノの間にある隙間をどう見るかをめぐって、いくつかの試掘溝のようなものを入れてみたいと思う。

人類学者のT・インゴルドは、心理学者のJ・J・ギブソンの生態学的視覚論を高く評価しつつも、違和感があると言う。その理由は、ギブソンの世界が、がらんどうで床がツルツルの部屋に家具を据え付けた後に住人が登場するように、真空に後からモノと人間を配置したような世界であって、人間が生きている世界とは違うからである。確かにギブソンの空間は、映画『2001年宇宙の旅』の最終場面の乳白色の均質な光で満たされた部屋のようで、生命登場前あるいは生命退場後の世界もかくやという感じがする。インゴルドの考えでは、私たちが生きる世界では、モノとモノとの間は空気で満たされており、生き物はそれを呼吸し、それが戸外であれば、風が吹き、刻一刻と変化する大気と呼応しあいつつ生き物が生きているのである。

ホールの枠組みを援用すれば、ギブソンの世界は西洋的で、それを批判するインゴルドの世界は、東洋的とか日本的と言える気がしないでもない。では日本語の「間」とは、インゴルドの言う大気で満たされた空間かというと、明らかにそうではない。ホールが言及する「龍安寺の石庭」の例に明白なように、「間」とは「空隙」(void)を指すだろう。ではそれはホールの言う「空虚」(emptiness)とは、どのように違うのか。おそらく「間」とは、「そこに何もない」というより「そこは余計なモノで充填されてはいない」という感覚と結びついている。言い換えれば、「間」とは、反物質とでも言うべきものが充溢している空間であるのに対して、「空虚」とは物質のたんなる不在なのだろう。

他方、「間」というものと類似性がないでもない「あそび」というものがある。ここでいう「あそび」とは、遊戯と無関係ではないが、回転する軸と固定した軸受けの間にあるような隙間のことである。そこに「あそび」がないと軸はぴったり嵌まってしまって回転することができないが、隙間が広すぎてもうまく回転できない。そうした隙間が日本語で「あそび」と呼ばれることに注目して比較文化論めいた分析も可能かもしれない。しかし実は、この隙間のことを、英語ではallowanceと言うが、playとも言えるのである。つまり、しばしば許容される「誤差」(tolerance)ではなく、そこに存在することが要請される「あそび」という空間は、けっして日本特有のものというわけではないのである。

ここで反転して、隙間の両側にあるモノのほうへと目を向けてみよう。一定の空間を占有する物質的なモノがなければ、それによって挟まれた、あるいは、それによって囲まれた隙間は存在しない。その際、固定した、例えば門柱のようなモノをイメージしがちだが、可動式のモノも忘れてはならない。そして実は、日本文化の「間」についての議論でしばしば取り上げられるのは、障子や襖で囲まれた空間が、連結したり分割されたり、開放されたり閉鎖されたりする手品のような空間操作のことなのである。となると「間」というものも伸びたり縮んだり、狭まったり拡がったりするというわけである。

さきほど私は、戯れに「反物質」などという言葉を使ったが、「間」とは、たしかに物質ではないが、密度や粘度をもつような積極的な「なにか」であるように思われる。ここでも視覚だけでなく、他の感覚を動員する必要があるのかもしれない。

67 どこまでが不可分の一体をなすのか——蟻と竹林と電線網とスイミー

私たちの身の回りには、いろいろなモノがある。そこにAとBとCという別のモノがあるのか、たったひとつのDというモノがあるのかを言うこと、あるいは、どこまでがAというモノで、どこからがBというモノなのかを言うことは難しくないと、私たちは思いがちである。しかし、本当にそんなに簡単だろうか。

スケールが大きいほうから始めれば、火星人の眼（というものがあるとして）には、生物も含めて地球がひとつのモノや生物に見えるかもしれない。地球人は、それを生態系とか地球システムといった、膨大な数のモノの集合体と見る。インターネットも、ケーブルや無線で連結した莫大な数のデバイスと見ることも、ひとつの「ワールドワイド・コンピューター」というモノと見ることもできる。電線網にしても、発電所から家庭のコンセントまで、多数の機器や装置が連結されたシステムと見ることもできれば、無数の足が伸びたタコのようなひとつのモノと見ることもできるかもしれない。生き物に目を転じれば、一列になって進んでいく蟻の群を、フェロモンで統御された個々の蟻ではなく、一匹の生物と見ることも可能ではないか。竹林は地上部分だけ見ると別々の竹に見えるが、地下の根茎網を見れば単体である。サンゴ礁とは、サンゴという刺胞動物の群体とその生息環境なのか、あるいは石灰質の骨格も含めて全体がひとつの生き物なのか。

たくさんのモノの集合か、たくさんの部分からなる単体か。この問題について考えるのに好適の例が、レオ・レオニの『スイミー　ちいさなかしこいさかなのはなし』という絵本である。このお話では、スイミーという黒くて小さな魚が、赤くて小さな沢山の魚たちが形作った大きな魚の目になって一緒に泳ぎ、大きな魚に怯えなくてすむようになったのだが、多数の小魚の群れとみえるのか、一匹の大魚とみえるのかには、形態と機能が見る者に与える印象が大きく影響しているだろう。まず形態だが、「まとまり」とか「かたまり」の印象を与えるかどうかが鍵になる。視野から外れるほどの大きさや長さがあったりすると、一体のモノと見えづらくなる。具体的な大きさはわからないが、スイミーたちが一匹の魚に見えるために適切なサイズというものがあるだろう。蟻の列より竹林のほうが、単体の生き物らしく見えるとすれば、離散できないので一体感を感じさせるからだろう。つづいて機能だが、連携の動きがスムーズで自然か、それぞれが勝手気儘に動いているようにみえるかが鍵になる。スイミーたちが一匹にみえるためには、一匹の魚のように泳ぐことが必要だ。オーケストラのように、と言ってよいかもしれない。サッカーチームにしても、その動き方次第で、バラバラの個人プレーに見えたり、滑らかに動くひとつの有機体に見えたりする。

モノや人が一体となって作動している状態を記述するために提案されている「アクターネットワーク」(actor-network)という概念がある。車椅子や車で移動する人、研究所のラボ、工場、銀行といったものは、どれもが連動して何事か成し遂げているが、その際に、人間だけが能動的主体でモノは受動的客体にすぎないのではなく、人間も非人間も含む「アクター(アクタント)」が相互に働きかけ合ってネットワークを成して行動しているという主張である。その「アクターネットワーク理論」(ANT)に対して、人類学者のT・インゴルドは、既に24でも触れた「アリ(ANT)がクモ(SPIDER)に出会うとき」という諧謔に富んだ論文で、「熟練した実践は発達のなかで身についた反応性を含む」(Skilled Practice Involves Developmentally Embodied Responsiveness)という幟を立てて反論する。彼は、独立した部品を連結して組み立てた機械のようなモデルを批判し、環境に応じて自らの動きを調整して成長していく生き物というモデルを提唱する。その批判の当否や両者の齟齬については、ここでは立ち入らない。むしろ私が注目したいのは、多数の独立した部分にばらすのではなく、「不可分の一体」の範囲が思いのほか広いとみる点で、両者には意外な共通性があることである。

68 断片と全体――割符、歴史の天使、ミロのヴィーナス

室町時代の日明貿易に際して、海賊(倭寇)の紛れ込みを阻止すべく、文字を記した札を二つに割って日明の双方で所持し、その「勘合」(割符)を照合して行った「勘合貿易」というものがあった。断片のそれぞれが、遠く離れていても、ともに同じ全体の一部をなしつづけていることが、割符という仕組みを支えている。割符の場合は後に合体することを想定して意図的に分割したものだが、そうでなくても、断片同士の関係は断ち切られず、一体でありつづけるという仮説について考えてみたい。

遺跡の名前は失念したが、一つの石から作られた石器が別々の集落趾から出土した例がある。一方で作られて他方に移ったか、別の土地で作られたモノが二つの集落に分配されたのだろうが、別れた後も片割れを意識しつつ使われていた可能性を否定できない。まるで生き別れになった双子のように。考古学者のジョン・チャプマンは「断片化(fragmentation)と連鎖(enchainment)」という概念を用いて、石器や土偶などのモノを意図的に壊して断片化し、それを交換や再利用

や埋納したとみられる先史時代の行為について論じている。彼の解釈では、その背後には、一体をなしていたものは、別々のモノに分かれた後も繋がりを保ち続けるという考えがあった(*Fragmentation in archaeology*)。

断片は最初から断片なのではない。一体のモノがバラバラになることで断片化するのであり、しかも断片であるのは、それが全体の一部であることが意識されている限りにおいてである。例えば河原の丸い小石は、かつては大きな岩の一部だっただろうが、小石を見て岩のことを思うのは地質学者だけで、ふつうは断片とは呼ばれない。要するに断片は、不在の全体の部分として、その全体を想起させ、その(離散家族の再会さながらの)回復の可能性を示唆しつづける。

他方、断片を集めて、実在したのとは別の全体を構築するという発想もある。W・ベンヤミンにとっての「断片」もそれだろう。彼は、P・クレーの《新しい天使》という版画について、そこに描かれた「歴史の天使」は足元に積み重なる瓦礫を「寄せ集めて繋ぎ合わせたいのだろう」と書く(「歴史の概念について」)。存在しえた別の可能性が、現在時において断片のなかに暗示されるというのがベンヤミンの歴史観なのである。「芸術とは、見えるものを再現するのではなく、見えないものを見えるようにするものだ」とはクレーの名言だが、断片は、そこに不在の見えないものを想起させる力をもつのだろう。

断片のなかには、断片という身分と縁を切ってしまうものもある。いまではルーブル美術館で展示されている《ミロのヴィーナス》とよばれる大理石像は、一八二〇年にギリシャのミロ

（メロス）島で畑を耕していた農民が偶然発見したときから、右の上腕部だけを残して両腕が欠けていた。いろいろ修復の道を探ったらしいが、腕がどのようになっていたのか、何を持っていたのか特定するに至らず、結局、このままにするのが最良であるとの結論に達したのである。もちろん制作した古代ギリシャの彫刻家の目から見れば、現在の姿は不完全な断片にすぎないだろう。しかし、美術館の観衆にとっては、そうでもないようで、実際、《モナ・リザ》と並ぶ美の極致として賞賛の的となっている。もし欠落していた両腕が発見され、めでたく合体したとしても、多くの人は「腕が無い方が良かった」と言うに違いない。つまり《ミロのヴィーナス》の場合、もはや断片ではなく、それだけで過不足のない自立したモノになってしまったのである。

ここから、完形を凌駕する「断片ならではの美」という興味深い論点も浮上して来る。例えば陶磁片というモノがある。「約十万個のかけらを拾い集めた」と豪語する小山冨士夫のような人を筆頭に、病膏肓に入るとしか言いようのない蒐集家が蠢《うごめ》き、ときには完形の器より断片のほうこそ価値が上と嘯《うそぶ》くといった具合で、とうていシロウトが口を突っ込むことができる世界ではない。「断片」という御題にふさわしく、不在の全体を匂わせつつ、尻切れトンボのまま退散することにしよう。

69　人形劇と人形アニメ——人は動く人形に何を見るか

チェコでは伝統的に人形劇が盛んである。オーストリア・ハプスブルク家の支配の下でゲルマン化が進められた時代、チェコ語で演じられる人形劇は「チェコ的なるもの」を表現できるかぎられた世界のひとつであった。世界に人形芝居とよばれるものは、インドネシアのワヤン・クリや日本の人形浄瑠璃など色々あり、人形を動かす技法も一様ではないが、チェコでは「操り人形」が人形劇の主流でありつづけた。

チェコはアニメーション映画の本場でもあり、秀逸な人形アニメーション映画で世界に知られている。人形劇と人形アニメの間には、人形を操る仕掛けが見えるか否かという違いがある。人形劇では目の前に糸で人形を操る人間がいるのに対して、人形アニメでは人間による操作の痕跡は払拭されている。しかしどちらにせよ、カラクリを暴こうと手品師の手元を注視するような態度で人形劇や人形アニメを観る人はいない。人形が本当に動いていているという仮構を観客が受けいれることでストーリーの世界が成立するのである。

ではあるが、モノである人形が動くとすれば、実際には人間が動かしているということに疑念を抱く人はいないだろう。同様に人形以外のモノも動かすことができる。例えばヘルミーナ・ティールロヴァーの人形アニメに登場する毛糸は、意志をもつ生き物のように動き回る。しかし人形の場合、人間めいた形のせいで、自ら動いているという感じがさらに強まる。その結果、操る人間との関係がゆらぐことさえある。例えばピノッキオは、作られるそばから作り手のジェッペットを虚仮《こけ》にして、操り人形の分際でありながら、勝手に外に飛び出して行き、もはや「操り糸」は役目を果たさない。

人形劇の舞台であれ、人形アニメのスクリーンの中であれ、動いている人形をみているときに人は、その人形の中に何をみているのだろうか。「自分で行動する意志」そして「他者の考えていることを理解する心」の存在を無意識のうちに推定しているのではないか。その両方を充足している存在を、私たちはモノのように扱うことはできない。だからこそ人形たちが演じるストーリーに入っていけるのだ。

ここで人類学者A・ジェルが『アートとエイジェンシー』で提示した「エイジェンシー」(agency)と「アニマシー」(animacy)という概念を参照したい。彼の言う「エイジェンシー」とは、自然な因果関係連鎖の乱れを見て、それが誰か(あるいは何か)の行為に起因すると人々が推定したとき、そこに介在したとみなされる働きである。他方「アニマシー」は、「主体性」(subjectivity)と「志向性」(intentionality)を有するという属性である。これは無生物に対置される生物の属性というわけではない。つまり生きている体をもつかどうかとは関係がない。

さて、「動いている人形」の話に戻ろう。「アニマシー」を備えた存在によって「エイジェンシー」が行使されていると推定されるとき、それが人間の体をもつかどうかはわからないが、「そこに誰かがいる」と私たちは思うことになるだろう。このことと、先程挙げた「意志」と「心」のことを考え合わせると、動いている人形を前にしたとき、「(自分の意志にしたがって行動するので)次の行動の予測はつかないが、(他者の考えていることを理解する心を備えているので)その行動がこちらを意識しての反応であることを期待できる」と人は思い始めていると言えるのではないか。

ピノッキオは、コオロギに「おまえは操り人形で、頭の中まで木でできている」と言われるが、これは「自分の意志では行動できず、他者の考えていることを理解する心がない」と言われたのに等しい。そう言われてピノッキオは、逆上してコオロギを殺してしまう。この行為を「いかにも人間らしい」と評するとすれば、ひねくれた見方だろうか。それはもちろん「人間らしいとは何か」に依るのだが、ピノッキオが、人間の生身の体をもっていなくても、もう他人の意志に従って動いているだけの操り人形ではなくなっていることは確かなのである。

70 世界そのものが生きている——人類学者インゴルドの世界像

草原で凧揚げをしている少年を思い浮かべてほしい。手に握られた凧糸はピンと張り、風を受けて凧が空高く舞い上がっている。凧の曳きを掌で感じながら、上空で吹いている風の強さを感じていると、突然凧がよろめき、風の衰えを緩む糸の感触で感じて走り出す。凧が力を回復するのを体全体で感じて立止り、深呼吸しつつ糸を引いたり緩めたりして、はるか上空の凧と振れ合って対話する。そのとき凧は、まるで生き物のように、それに応え、抗う。急に強まった風で糸が切れそうになり、凧は遠くへ飛ばされそうだ。「風のヤツめ、そうはさせないぞ」と少年は、糸を繰り出しながら、凧を追って、風を追って走る。

この凧揚げを写真に収めることはできない。モノは写っても、糸の手応え、脚の緊張、息づかい、風などが写らないのだ。人形で凧揚げのジオラマを作ることも不可能だ。ピンと張りつめた糸は、固めた糸で表現できないし、風を受けて舞う凧の生き物のような振舞いは再現できない。少年も木偶の坊に見えるのが関の山だ。凧揚げという体験から動きと時間を剝奪して、個々のモノ（部分・部品）へと分解した後、舞台と背景を設置し、そこに少年と凧を配置するのが間違いなのである。慌てて電気仕掛けで動かしてみても、惨めな失敗に終わるのは目に見えている。

大道具が設置された舞台にモノを配置し、そこに通電すると生き物になって動くという仕組みで世界は存在しているのではない。世界とそれを成り立たせているものについての別の理解が必要である。まず人間という唯一の主役の活動の舞台や背景として、人間の働きかけに受動的に反応するだけの世界を人間の外側に想定するのをやめる。生き物も含めた世界が個々のモノ（object）という独立した単位に分割でき、世界はそうした部品が連結したり、相互作用したりして機能しているという要素還元主義をやめる。出来上がりはしたがまだ静止しているモノに「エイジェンシー」の粉を振りかけると、あら不思議、命が宿って動き始めますという「入魂」幻想をやめる。要するに、「ものの生命」（the life of things）について語るべきところで「モノのエイジェンシー」（the agency of objects）について語ることは、現実の理解に資するどころか、現実を歪めることになると、人類学者T・インゴルドは警鐘を鳴らす（*Being Alive*）。

それに代るべき世界像では、少年も、凧も、風も、大地も、草も、つまり人間も他の生物も無生物も自然現象も含めて世界は「生成」（formation）の動きのなかにあり、それが「生」（life）というものである。人間は世界に外から関与するのではなく、その中に「住み込んでいる」（inhabit）。ともに世界を構成するものは、互いに気遣い合いつつ、「照応」（correspondence）し合って動いている。それは目的地に向かう既定のプログラムに従う行動でもなく、予め存在する点同士を直線で結んだ「ネットワーク」のようなものでもない。刻一刻と変化する働きかけに応えつつ、動く線のように伸びてゆき、他の線と絡まったり解けたりして「メッシュワーク」を出現させつつ、始まりも終わりもなく続いていく動き(wayfaring)である。それが展開する場は、真空という死んだ空間ではなく、呼吸し、匂いを嗅ぎ、音を伝えあい、触れ合うことを可能にする、それじたい動きに満ちた大気の中に在る。一言でいえば「万物生成於天地之間」(the becoming of things in the earth-sky world)(*Making*)。これがインゴルド人類学のエッセンスであろう。

この代替的世界像は、人類学者が世界各地で出会って「アニミズム」と名付けた考え方に近いようにみえるが、この語を、人間だけがもつ魂を人間以外の万物へと拡張する擬人化を指して使うなら、インゴルドは自分の考えとは違うと言うだろう。彼の意見では、「生きている」(animacy)という属性は、そもそも生成する世界そのものの属性であり、その世界に住む人間も分かち持つ属性だからである。「ものが生命の中にある」(Things are in life.)のであって、「生命がものの中にある」(Life is in things.)のではないというのがインゴルドの格言なのである(Earth, Sky, Wind, and Weather)。

71 世界は物質の流れのなかにある——作ることと生まれ育つこと

「作ること」(making)についての、アリストテレス以来の「質料形相論」(hylomorphism)にもとづく考え方を批判し、モノ(artefact)は、「物質」(matter)と作り手の「照応」(correspondence)を通じて「生まれ育つ」(grow)のだという見方を、人類学者T・インゴルドが提示している。いったい彼は、何を言いたいのだろうか。

「質料形相論」とは、あらかじめ存在する「形相」(form)に合わせて「質料」(matter)が成形されたものが、現実に存在するモノであるとする理論であり、その核心は、完成図が製作に先立って用意されているという点にある。予め計画したデザインに即して、自然に存在するものを材料として意図的に製作されたモノこそが人間の達成の証、他の生物や無生物の上に君臨する人間の能力の証とする、ヨーロッパ文明の中心に鎮座してきた考え方は、欧米人にとって脱ぎ捨てるのが思いのほか難しいもののようだ。それを批判してインゴルドが提起するのが、「作られたモノ」(artefact)と「生まれ育つ有機体」(organism)を連続的なものとらえ、「作ること」

(making)を「生まれ育つこと」(growing)つまり「成りゆくこと」(becoming)と切りはなさない捉え方である。西洋の伝統と縁が薄かった極東の列島の住人は、「(意図的に)する」と「(自然に)なる」の区別を曖昧にする類の考え方になじみがあるので、インゴルドの意見を生半可に解った気になってしまいがちだが、神に代えて人間を世界の中心に据えた西洋の強烈な「人間中心主義」(anthropocentrism)に対峙して、「脱人間中心主義」に基づく対抗理論を打ち立てんとするインゴルドの主張には、もうすこし注意深く耳を傾ける必要がある。

人間もモノも生成する世界の中に在るというのが彼の持論である。物質(matter)の存在意義は人間によって活用されることであり、活用されなければ無意味な存在だという人間中心主義的な思い込みからの解放をめざして、大学で彼が実践している演習がある。学生が拾い集めてきた種々雑多なモノや素材を前にして、それを注意深く観察したり、その感触を確かめたり、それをめぐるストーリーを発掘したりするなかで、完成して最終形態に到達してしまっているようにみえるモノが、他のモノへと転ずる素材(material)であることを止めていないことに気づかせる。それは空き缶のような人工物でも、ぬけ落ちた鳥の羽根のような自然物であっても変わらない。つまり人間が意図的に介入するかしないかは、物質の生生流転・千変万化の「生涯」にとっては、決定的な違いを生まない。すべてのものが生成の旅の途中なのである。本書ではこれまで、さまざまな物質やさまざまなモノを取り上げて、その千変万化のプロセスについて考察を試みてきたが、そこでもインゴルドの演習と同様のエクササイズをしてきたことになる。もっとも、実際に手を触れたり、匂いを嗅いだりすることができなかったという違いはあるが。

私たちの生きるこの世界は、変化することのない静止した死の世界ではなく、ありとあらゆるものが生生流転・千変万化の流れの中にある。あるときは人間が作りだしたモノとして存在したものが、別のときには、半壊の、あるいは元の姿を留めない生の物質の姿を晒しているかもしれない。あるときまで人跡未踏の地中深くウラン鉱石として眠っていたものが、人間が介在することによって核弾頭の主要パーツへと変ずることになるかもしれない。構想→製作→完成→経年変化→解体というモノ（object）の「生涯」だけでなく、一時も止まらず終着点に到達することもない物質（matter, material）の「生涯」の総体として世界をとらえてみよう。人為的に、それまで存在しなかった類のモノを作り出すという人間が誇る創造行為の価値は、どれだけ強調しても強調しすぎることはない。しかしその一方で、そうした意図的製作行為は、人間が意図的に介在することなく物質世界で進行しているプロセスと切りはなされているわけではないのである。人間の文化的営みは、世界の生生流転・千変万化のプロセスに包摂されている。そのことを忘れてはならない。

72　マルチナチュラリズム――人類学者ヴィヴェイロス・デ・カストロの世界像

「多自然主義」(multinaturalism)という言葉は、大抵の人にとって初耳だろう。人類学者E・ヴィヴェイロス・デ・カストロは、南米の先住民族インディオの諸文化には「パースペクティヴィズム」(perspectivism)という思想が共通していて、その特徴として「多自然主義」があると言う。それは「多文化主義」(multiculturalism)を反転したもので、単一である文化に対し自然は複数だとする考え方だが、奇妙に聞こえるだろう。文化は意味づけや価値観だから複数でもよいが、自然は普遍的で誰にとっても同一だと多くの人は信じているからである。

レヴィ＝ストロースが紹介した一六世紀のカリブ海地方の事例を参照してみよう。突然登場した見慣れない白人の征服者たちを見て人間かどうかわからなかったインディオは、白人を水漬けにして遺体が腐敗するかどうか観察した。彼らは白人が自分たちと同じ人間であるか判定するために「同種の身体(つまり同じ自然)をもつかどうか」確かめようとしたのである。対するに白人にとっては、「キリスト教の神(つまり同じ文化)を信じているかどうか」が、インディオが自分たちの同類つまり人間かどうかを決める基準だった。要するに、インディオの「多自然主義」からすれば、異類との違いは「身体」の違いであり、白人の「多文化主義」からすれば、異類との違いは文化の違いだったのである。

「身体」が別種ならパースペクティヴつまり世界を見る視点も別で、そこから見える世界も別になり、その結果、複数の世界が存在するというのが、ヴィヴェイロス・デ・カストロが「パースペクティヴィズム」とよぶ世界認識である。一例をあげれば、人間とジャガーは別種の「身体」をもち、別のパースペクティヴから見える別の世界に住んでいる。ジャガー同士は互いに人間にみえているが、私たち人間にはジャガーにみえる。両者の世界は別々なので、例えば人間には血であるものがジャガーにはマニオクのビールであるという具合に違っている。文化的な意味づけの違いではなく、物質として違うのである。本当はどちらなのかという問いは意味をなさない。どちらの世界でも妥当する唯一の真実は存在しないのである。これをヴィヴェイロス・デ・カストロは「相対性が真理なのだ」と要約する。どことなく「環世界」(2)を彷彿とさせる話だが、別々の「環世界」は、あくまでも同一の自然界の一部なので「多自然主義」とは違う。いわゆる「パラレルワールド」にも似ているが、ジャガーの世界と人間の世界の関係は、平和共存ではない。どちらが捕食者でどちらが獲物か、どちらが主体の位置を獲得し、どちらのパースペクティヴが勝利し、どちらの世界が真実の世界として成立するのかをめぐる熾烈な競合関係にある。ジャガーの世界に迷い込んで人間のパースペクティヴを喪失した人は、もう他の人間たちにとって同類ではない。そのように全く異質で競合する複数の世界を、複数の「身体」を着脱することで行き来する能力をもつのは、唯一シャーマンだけである。

この話を自然科学者にしたら、非科学的な世迷言として一笑に付すだろう。現代日本社会の一般人の反応も同様だろう。自然が普遍的に同一であることは、現代社会人の常識だからである。そこでインディオの「パースペクティヴィズム」は彼らの文化だとして一件落着とするのが、私たちの奉戴する「科学的世界像」の普遍妥当性を脅かさない無難な対処法になる。「文化が違えば同一の自然界について別々のことを信じている」という事実は、「科学的世界像」にとって許容範囲だからだ。

しかしそれは、私たちとは違う仕方で「自然界」について語る人々の世界認識に対して真摯に向き合う態度と言えるだろうか。少なくとも、「私たちの生きるこの世界」「普遍的な単一の自然」「誰にとっても同一の物質」といった、真剣に検討することもなく私たちが受け入れている暗黙の前提について、自らの体験に照らして具体的に再審理を試みること。そこから始めなければ、人類学は人類学たりえないだろうというのが、現時点で私の辿り着いた考えなのである。

73 私たちの生きている世界そのものが奇蹟なのだ

人類学という学問は、守備範囲の広い「何でも屋」的な性格をもっている。それでも分業はあって、私の専門である文化人類学は、文化と社会を守備範囲としており、物質や自然については、モノ作りや生業や環境がらみで関心をもったとしても、根本のところで自然科学にタダ乗りしてきた。つまり、自然科学の物質観・自然観を無条件に受け入れ、文化によって異なる意味や価値を対象として、表象や象徴や言説といった用語を操って研究を行ってきたのである。

しかしそうした「タダ乗り」は、じつは大きな問題を孕んでいる。というのも、現地調査《フィールドワーク》を行ってきた文化人類学者たちは、いたるところで、近現代科学の知見とは矛盾するような話に遭遇してきた。一九世紀の西洋中心主義・進化主義人類学の下では、そうした話を低い進化段階ゆえの誤謬と見なして、珍しい標本として記録して事足れりとしていた。しかし二〇世紀に入り、文化人類学の旗印は、文化に優劣なしという「文化相対主義」へと移り変わった。だが、他の文化の担い手たちが語る「非科学的な話」を真摯に受けとめるようになったというわけではなかった。そうした話に耳を傾けなかった他の分野の研究者とは違って、「○○社会では××と信じられている」と律儀に書き留めはした。しかし、それを梃にして近現代科学の世界像を根底から吟味する方向には進まなかったのである。それは、相対主義を文化の領域だけに限定したことの当然の帰結だった。普遍的なものとされた物質や自然については、「科学的世界像」を唯一の正解とし、それ以外の世界像を誤りとする以外に選択肢がなかったのである。

彼らの語る世界像を真摯に受け止めるという、長く棚上げにされてきた宿題に取り組もうと考えて、二〇一〇年の「物質性の人類学に向けて——モノ（をこえるもの）としての偶像」という論文で、「物質性」（materiality）にアプローチする手掛かりとして、三つの問題系を提案した。①「世界は人間にとってどのような条件か」という「物性」（physicality）の問題系、②「人間は世界をどのように体験し、どのように働きかけるのか」という「感覚性」（sensuosity）の問題系、③「人間はどのような世界に住んでいるのか」という「存在論」（ontology）の問題系がそれである。さらに二〇一一年から一五年まで国立民族学博物館で共同研究を組織し、その成果を二〇一七年に『「物質性」の人類学』という論文集として発表した。しかし、問題の所在を理解してもらうのは難しかった。そこで、具体例をふんだんに盛り込んだデモンストレーションによって、観察＋考察のエクササイズを実演してみせることがまず必要であることに思い至った。

本書の構成も、ほぼ前述の三つの問題系に沿っている。序盤では、私たちを取り巻く環境やモノ作りに注目して「世界（のもの）の物性がどのように人間の活動を可能にし、あるいは制限しているのか」、中盤では、道具や体や触知性を焦点化して「物質世界と人間の関わり合いの多彩な様相」、終盤では、見えないものや異界にまで対象を広げて「日常的には気づいていない世界の別の側面、あるいは世界の別の在り方」というテーマに光を当てている。

私たちは、なんでも分かった気になって、自分が生きている世界の底知れぬ不思議さに気づいていないのではないだろうか。本書の冒頭に書いたように、私たちが当然視している「この世界」は、普段とは違った見方で観察してみると、突然別の容貌を露わにしたり、驚嘆すべき光景を開示したりする。退屈している暇《いとま》はない。私たちの生きている世界そのものが奇蹟なのだ。本書で試みてきたのは、そうした「普段とは違った見方」のエクササイズである。皆さんにそれを楽しんでいただけたなら、そして、それを通じて、この世界がシュールでリアルであることを感じていただけたなら、とてもうれしく思う。

最後に、本書は、西日本新聞社の野中彰久さんを介して知遇を得た古小鳥舎の野村亮さんの御理解と御助力を得て刊行に漕ぎつけることができた。お二人に、深く御礼申し上げたい。

二〇二〇年夏

古谷嘉章

【引用文献・参考文献】（ABC順、上列の番号は本文の項目番号）

1 アボット、エドウィン・アボット『フラットランド――たくさんの次元の物語』（竹内薫訳）、講談社、二〇一七
矢沢潔、新海裕美子、ハインツ・ホライス『次元とはなにか』ソフトバンククリエイティブ、二〇一一

2 ユクスキュル、ヤーコプ・フォン『生命の劇場』（入江重吉・寺井俊正訳）講談社、二〇一二
ユクスキュル、ヤーコプ・フォン／ゲオルク・クリサート『生物から見た世界』（日高敏隆・羽田節子訳）岩波書店、二〇〇五

3 Ingold, Tim, 2007 Earth, sky, wind, and weather. *Journal of the Royal Anthropological Institute (N.S.)*, S19-S38
ウォーカー、ガブリエル『大気の海――なぜ風は吹き、生命が地球に満ちたのか』（渡会圭子訳）早川書房、二〇〇八

4 ウィアー、アンディ『火星の人』（小野田和子訳）早川書房、二〇一四

6 古谷嘉章『異種混淆の近代と人類学』人文書院、二〇〇一

8 古谷嘉章「ゴミと物質性」『民博通信』一三九号、二四頁―二五頁、二〇一二

9 古谷嘉章「不在のものの現前――廃墟・劇場・仮面」『遺跡のアート劇場』（第19回縄文コンテンポラリー展inふなばし）、三十四頁―三十五頁、二〇一九
谷川俊太郎（著）／和田誠（イラスト）『あな』福音館書店、一九八三

10

ダーウィン、チャールズ『ミミズと土』（渡辺弘之訳）平凡社、一九九四

平山良治ほか『モノリス・真下の宇宙――１㎝１００年の土のプロフィール』ＩＮＡＸ出版、二〇〇八

ＩＮＡＸギャラリー『秘土巡礼』ＩＮＡＸ出版、二〇〇一

レヴィ＝ストロース、クロード『悲しき熱帯（上・下）』（川田順造訳）中央公論社、一九七七

モントゴメリー、デイビッド／アン・ビクレー『土と内臓―微生物がつくる世界』（片岡夏実訳）築地書館、二〇一六

11

Bradley, Richard, 1998 Ruined Buildings, Ruined Stones: Enclosures, Tombs and Natural Places in the Neolithic of South-West England. *World Archaeology*, Vol.30, No.1, pp.13-22.

龍居庭園研究所（編）『石組作法』建設資料研究社、二〇〇四

須田郡司『日本石巡礼』日本経済新聞出版社、二〇〇八

Tilley, Christopher, The Powers of Rocks: Topography and Monument Construction on Bodmin Moor. *World Archaeology*, Vol.28, No.2, pp.161-176.

12

石牟礼道子『椿の海の記』河出書房新社、二〇一三（一九七六）

ワイズマン、アラン『人類が消えた世界』（鬼澤忍訳）早川書房、二〇〇九

13

蟹沢聰史『石と人間の歴史』中央公論社、二〇一〇

大沼克彦『文化としての石器づくり』学生社、二〇〇二

徳井いつこ『ミステリーストーン』筑摩書房、一九九七

14

Cook, Jill 2014 *The Swimming Reindeer*. The British Museum Press.

マクレガー、ニール『１００のモノが語る世界の歴史１　文明の誕生』（東郷えりか訳）筑摩書房、二〇一二

ミズン、スティーヴン『心の先史時代』（松浦俊輔・牧野美佐緒訳）青土社、一九九八
15 ミーオドヴニク、マーク『人類を変えた素晴らしき10の材料』（松井信彦訳）インターシフト、二〇一五
佐藤健太郎『世界史を変えた新素材』新潮社、二〇一八
16 青木啓将『現代日本刀の生成』言叢社、二〇一九
青木野枝『流れのなかにひかりのかたまり』左右社、二〇一九
バルト、ロラン『エッフェル塔』（宗左近・諸田和治訳）筑摩書房、一九九七
17 古谷嘉章「イノチを生む動く線とリクッが生む複雑な形」『縄文の手・現代の手』（第14回縄文コンテンポラリー展 in ふなばし）、四頁―六頁、二〇一四
インゴルド、ティム『ラインズ　線の文化史』（工藤晋訳）、左右社、二〇一四
インゴルド、ティム『ライフ・オブ・ラインズ――線の生態人類学』（筧菜奈子・島村幸忠・宇佐美達朗共訳）フィルムアート社、二〇一八
工藤雄一郎・国立歴史民俗博物館編『ここまでわかった！　縄文人の植物利用』、新泉社、二〇一四
尾関清子『縄文の衣』学生社、一九九六
19 原研哉・阿部雅世『なぜデザインなのか』平凡社、二〇〇七
リュウ、ケン『紙の動物園』（古沢嘉通編訳）早川書房、二〇一七（二〇一五）
20 Keane, Webb 2001 Money Is Not Object: Materiality, Desire, and Modernity in an Indonesian Society. In: *The Empire of Things*, Fred Myers, ed., pp.65-90. School of American Research Press.

21 Domínguez Rubio, Fernando 2016 On the discrepancy between objects and things: An ecological approach. *Journal of Material Culture*, Vol.21(1), pp. 59-86.

22 早川孝太郎『花祭』岩崎美術社、一九六八

23 ハンセル、マイク『建築する動物たち』（長野敬・赤松眞紀訳）青土社、二〇〇九
ＩＮＡＸギャラリー『生きものたちも建築家』ＩＮＡＸ出版、一九九三
Ingold, Tim 2013 *Making: Anthropology, Archaeology, Art and Architecture*. Routledge
鈴木まもる『鳥の巣の本』岩崎書店、一九九九

24 古谷嘉章「触ると触れる——人間と世界のインターフェース」『世界思想39号　特集　感性について』世界思想社、二十五頁—二十八頁、二〇一二
Ingold, Tim, 2008 When ANT meets SPIDER: Social theory for anthropods. In: Knappett C., Malafouris L. (eds) *Material Agency*, Springer, pp.209-215.
新海明「糸が紡ぐ世界」『クモの網』（ＩＮＡＸブックレット）ＩＮＡＸ出版、六十六頁—七十五頁、二〇〇八

25 古川不可知『「シェルパ」と道の人類学』亜紀書房、二〇二〇

26 こうじや信三『天然ゴムの歴史』京都大学学術出版会、二〇一三
佐藤健太郎『世界史を変えた新素材』新潮社、二〇一八

27
ハンソン、ソーア『羽』（黒沢令子訳）北揚社、二〇一三
勝木言一郎『日本の美術No.481　人面をもつ鳥——迦陵頻伽の世界』至文堂、二〇〇六

28
林温『日本の美術No.330　飛天と神仙』至文堂、一九九三
干宝『捜神記』（竹田晃訳）平凡社、一九六四
静岡総合研究機構（編）『静岡と世界を結ぶ羽衣、竹取の説話』静岡新聞社、二〇〇〇
吉永邦治『飛天の道』小学館、二〇〇〇
吉野裕編『風土記』平凡社、二〇〇〇

29
カイヨワ、ロジェ『遊びと人間』（多田道太郎・城塚幹夫訳）講談社、一九七三

30
Bunzel, Ruth L., 1972[1929] *The Pueblo Potter: A Study of Creative Imagination in Primitive Art*. Dover Publications.
McChesney, Lea S., 1992 "My Potteries Can Be Used in a Microwave". *Museum Anthropology* 16(3), pp.25-33.
徳井いつこ『スピリットの器——プエブロ・インディアンの大地から』地湧社、一九九二

31
Bailey, Douglas, et al. 2010 *Unearthed: A Comparative Study of Jomon Dogu and Neolithic Figurines*. Sainsbury Centre for Visual Arts.
古谷嘉章「土偶のなかに現代が見える」『とび博　土偶のアート伝説』（第18回縄文コンテンポラリー展inふなばし）、二十頁—二十一頁、二〇一八
岩田安之「三内丸山遺跡出土のミニチュア土器に関する予察」『特別史跡三内丸山遺跡年報』15、十六頁—二十五頁、二〇一二
香取忠彦『奈良の大仏（新装版）』草思社、二〇一〇（一九八一）

熊田由美子（監修）『仏像の事典』成美堂出版、二〇〇六

33 坂井建雄、橋本尚詞 『ぜんぶわかる人体解剖図』成美堂出版、二〇一〇

34 Bonner, John Tyler, 2006 *Why Size Matters: From Bacteria to Blue Whales*. Princeton University Press.
Carsten, Janet, ed. 2013 "Special Issue: Blood will out: essays on liquid transfers and flows". *Journal of the Royal Anthropological Institute (N.S.)*, Volume 19, Issue S1, pp. S1-S184.
浜本まり子「血縁」『人類学のコモンセンス』浜本満・浜本まり子（編）学術図書出版社、一九九四
シャケルフォード、ジョール『ウィリアム・ハーヴィ——血液はからだを循環する』（梨本治男訳）大月書店、二〇〇八
35 秋山聰「動く像——キリスト教中世における像の生動化をめぐって」『「物質性」の人類学』古谷嘉章・関雄二・佐々木重洋（共編）同成社、一〇五頁—一二九頁、二〇一七
小池寿子『内臓の発見——西洋美術における身体とイメージ』筑摩書房、二〇一一
岡田温司『キリストの身体——血と肉と愛の傷』中央公論社、二〇〇九

36 ハラウェイ、ダナ『猿と女とサイボーグ——自然の再発明』（高橋さきの訳）青土社、二〇〇〇
キンブレル、アンドリュー『すばらしい人体部品産業』（福岡伸一訳）講談社、二〇一一

37 藤井建夫「発酵と腐敗を分けるもの——くさや、塩辛、ふなずしについて」『日本醸造協会誌』一〇六巻四号、一七四頁—一八二頁、二〇一一
モントゴメリー、デイビッド／アン・ビクレー『土と内臓——微生物がつくる世界』（片岡夏実訳）築地書館、二〇一六
ロビンズ、ルイーズ・E『ルイ・パスツール——無限に小さい生命の秘境へ』（西田美緒子訳）大月書店、二〇一〇

田中祐理子『科学と表象——「病原菌」の歴史』名古屋大学出版会、二〇一三
鶴間和幸『人間・始皇帝』岩波書店、二〇一五

38
クラーク、アーサー・C『2001年宇宙の旅』(伊藤典夫訳)早川書房、一九九三
ハインライン、ロバート・A『夏への扉』(福島正実訳)早川書房、一九七九

39
Meskell, Lynn, 2004 *Object Worlds in Ancient Egypt*. Berg.
日本建築学会(編)『弔ふ建築——終の空間としての火葬場』鹿島出版会、二〇〇九
横田睦『お骨のゆくえ——火葬大国ニッポンの技術』平凡社、二〇〇〇

40
古谷嘉章「物質性の人類学に向けて——モノ(をこえるもの)としての偶像」『社会人類学年報』第三六巻、一頁—二十三頁、二〇一〇
木下直之『銅像時代——もうひとつの日本彫刻史』岩波書店、二〇一四
Meskell, Lynn, 2004 *Object Worlds in Ancient Egypt*. Berg.
Taussig, Miachael, 1993 *Mimesis and Alterity*. Rautledge.

41
Ferguson, T.J., R. Anyon, and E.J. Ladd, 2000 "Repatriation at the Pueblo of Zuni". In D. A. Mihesuah (ed.) *Repatriation Reader*. University of Nebraska Press. pp.239-265.
Merrill, William L. et al., 1993 The Return of the Ahay:da: Lessons for Repatriation from Zuni Pueblo and the Smithsonian Institution. *Current Anthropology*, Vol.34, No.5, pp.523-567

43
傳田光洋『皮膚は考える』岩波書店、二〇〇五

傳田光洋『第三の脳――皮膚から考える命、こころ、世界』朝日出版社、二〇〇七
テクタイル『触楽入門――はじめて世界に触れるときのように』朝日出版社、二〇一六

44
堀内園子『触れるケア――看護技術としてのタッチング』ライフサポート社、二〇一〇
熊澤孝朗『痛みを知る』東方出版、二〇〇七
メルロ=ポンティ、モーリス『知覚の現象学1』（竹内芳郎+小木貞孝訳）みすず書房、一九六七
山口創『愛撫・人の心に触れる力』日本放送出版協会、二〇〇三

45
ルロワ=グーラン、アンドレ『身ぶりと言葉』（荒木亨訳）筑摩書房、二〇一二
ジンメル、ゲオルグ『ジンメル・コレクション』（北川東子編訳・鈴木直訳）筑摩書房、一九九九

46
広瀬浩二郎『さわる文化への招待――触覚でみる手学問のすすめ』世界思想社、二〇〇九
広瀬浩二郎、嶺重慎『さわっておどろく！――点字・点図がひらく世界』岩波書店、二〇一二
佐藤忠良『触ることから始めよう』講談社、一九九七

47
Taussig, Michael 1991 Tactility and Distraction. *Cultural Anthropology*, Vol.6, No.2, pp.147-153.
タウシグ、マイケル『模倣と他者性』（井村俊義訳）水声社、二〇一八

48
遠藤周作『沈黙』新潮社、一九八一（一九六六）
四方田犬彦『摩滅の賦』筑摩書房、二〇〇三

49
原研哉+阿部雅世『なぜデザインなのか』平凡社、二〇〇七

株式会社竹尾（編）『ＨＡＰＴＩＣ　五感の覚醒』朝日新聞社、二〇〇四
「ＡＸＩＳフォーラム　阿部雅世さん講演レポート（その1〜その3）」
https://www.axismag.jp/posts/2009/12/6942.html
https://www.axismag.jp/posts/2009/12/7191.html
https://www.axismag.jp/posts/2010/01/7529.html
（最終アクセス2011/10/31）
「Sensory Experience Design 感覚を鍛え、感性を磨く——デジタル時代の生涯教育」
https://www.masayoavecreation.org/181201-keynote-designship2018（最終アクセス2020/08/26）

50 株式会社竹尾（編）『ＨＡＰＴＩＣ　五感の覚醒』朝日新聞社、二〇〇四
仲谷正史、筧康明、白土寛和『触感をつくる——《テクタイル》という考え方』岩波書店、二〇一一
テクタイル『触楽入門——はじめて世界に触れるときのように』朝日出版社、二〇一六
渡邊淳司『情報を生み出す触覚の知性——情報社会をいきるための感覚のリテラシー』化学同人、二〇一四

51 ホール、エドワード『かくれた次元』（日高敏隆・佐藤信行訳）みすず書房、一九七〇

52 カー、ニコラス・G『クラウド化する世界』（村上彩訳）翔泳社、二〇〇八

53 ヘンリー、ジョン『17世紀科学革命』（東慎一郎訳）岩波書店、二〇〇五
平山令明『X線が拓く科学の世界』ソフトバンククリエイティブ、二〇一一
谷川俊太郎『自選　谷川俊太郎詩集』岩波書店、二〇一三
塚原東吾（編）『科学機器の歴史——望遠鏡と顕微鏡』日本評論社、二〇一五

55 パノフスキー、エルヴィン『〈象徴形式〉としての遠近法』（木田元監訳）筑摩書房、二〇〇九
ステッドマン、フィリップ『フェルメールのカメラ――光と空間の謎を解く』（鈴木光太郎訳）新曜社、二〇一〇

56 Berns, Steph, 2016 Considering the glass case: Material encounters between museums, visitors and religious objects. *Journal of Material Culture*, Vol.21(2), pp.153-168.
ミーオドヴニク、マーク『人類を変えた素晴らしき10の材料』（松井信彦訳）インターシフト、二〇一五

59 石牟礼道子『苦海浄土』講談社、一九七二
内山田康『原子力の人類学』青土社、二〇一九

60 Anusas, Mike and Tim Ingold, 2015 The Charge Against Electricity. *Cultural Anthropology* 30(4), pp.540-554.
Palus, Matthew M. 2005 Building and Architecture of Power. In: Lynn Meskell (ed.) *Archaeology of Materiality*. Blackwell.pp.162-189.

61 傳田光洋『第三の脳――皮膚から考える命、こころ、世界』朝日出版社、二〇〇七
日経電子版「ライフコラム子どもの学び：カードでピッ、なぜ触れないで大丈夫なの?」（https://style.nikkei.com/article/DGXKZO11915970Q7A120C1W12001/）（最終アクセス2020/09/20）

62 河合隼雄『明恵　夢を生きる』講談社、一九八七
白洲正子『明恵上人』講談社、一九九二（一九七四）
the能ドットコム（https://www.the-noh.com/jp/）

安田登『異界を旅する能——ワキという存在』筑摩書房、二〇一一

64
フレーザー、J・G・『火の起源の神話』（青江舜二郎訳）筑摩書房、二〇〇九
浜本隆志『拷問と処刑の西洋史』新潮社、二〇〇七

66
ギブソン、J・J・『生態学的視覚論——ヒトの知覚世界を探る』（古崎敬訳）サイエンス社、一九八六
ホール、エドワード『かくれた次元』（日高敏隆・佐藤信行訳）みすず書房、一九七〇
Ingold, Tim, 2007 Earth, sky, wind, and weather. *Journal of the Royal Anthropological Institute (N.S.)*, S19-S38

67
Latour, Bruno 1993 *We have never been modern*, Harvard University Press.
ラトゥール、ブリュノ『社会的なものを組み直す——アクターネットワーク理論入門』（伊藤嘉高訳）法政大学出版局、二〇一九
レオニ・レオ『スイミー——ちいさなかしこいさかなのはなし』（谷川俊太郎訳）好学社、一九六九

68
ベンヤミン、ヴァルター「歴史の概念について」『ベンヤミン・コレクション1　近代の意味』（浅井健次郎監訳・久保哲司訳）筑摩書房、六四三頁—六六五頁、一九九五
Chapman, John 2000 *Fragmentation in archaeology*. Routledge
小山冨士夫『徳利と酒杯・漁陶紀行』講談社、二〇〇六

69
Gell, Alfred 1998 *Art and Agency*. Oxford University Press.
加藤暁子「チェコ／人形劇小史」『夜想35号　チェコの魔術的芸術』ペヨトル工房、一一二頁—一二一頁、一九九九

70～71

Ingold, Tim 2000 *The Perception of the Environment: Essays in livelihood, dwelling and skill*. Routledge.

Ingold, Tim 2007 Earth, sky, wind, and weather. *Journal of the Royal Anthropological Institute (N.S.)*, S19-S38

Ingold, Tim 2011 *Being Alive: Essays on Movement, Knowledge and Description*. Routledge.

Ingold, Tim 2013 *Making: Anthropology, Archaeology, Art and Architecture*. Routledge

72

Latour, Bruno 2009　Perspectivism: 'Type' or 'bomb'?, *Anthropology Today*, Vol.25, No.2, pp.1-2

Lévi-Strauss, Claude 1973[1952] Race et histoire. In: *Anthropologie Structurale deux*. Plon.

Viveiros de Castro, Eduardo 1998 Cosmological deixis and Amerindian perspectivism, *Journal of the Royal Anthropological Institute*, vol.4, no.3, pp.469-488.

Viveiros de Castro, Eduardo 2012 Cosmological perspectivism in Amazonia and elsewhere. *HAU: Masterclass Series* 1, pp.45-168.

73

古谷嘉章「物質性の人類学に向けて」『社会人類学年報』第三十六巻、一頁—二十三頁、二〇一〇

古谷嘉章「人類学がとりくむべき物質性とは何か」『民博通信』一三六号、二十頁—二十一頁、二〇一二

古谷嘉章「物質性を文化人類学する」『月刊みんぱく』第三十六巻十号、十頁—十一頁、二〇一二

古谷嘉章「ゴミと物質性」『民博通信』一三九号、二十四頁—二十五頁、二〇一二

古谷嘉章「石器や土器の物質性、からだの物質性、見えないものの物質性」『民博通信』一四二号、十八頁—十九頁、二〇一三

古谷嘉章「世界は物質の流れのなかにある」『民博通信』一四六号、二十頁—二十一頁、二〇一四

古谷嘉章「人間学のキーワード　物質性」『月刊みんぱく』第三十八巻第一号、二十頁、二〇一五

古谷嘉章・関雄二・佐々木重洋（編）『「物質性」の人類学』同成社、二〇一七

古谷嘉章「プロローグ　物質性を人類学する」『「物質性」の人類学』（古谷嘉章ほか共編）同成社、三頁—三十二

頁、二〇一七
古谷嘉章「世界の多貌性とシャーマンの変身」『「物質性」の人類学』（古谷嘉章ほか共編）、同成社、二〇五頁—二三六頁、二〇一七

【著者略歴】

古谷嘉章（ふるや・よしあき）

東京生まれ。東京大学大学院博士課程単位取得退学。博士（学術）。九州大学大学院比較社会文化研究院教授。著書に『異種混淆の近代と人類学—ラテンアメリカのコンタクト・ゾーンから』（人文書院、二〇〇一）、『憑依と語り—アフロアマゾニアン宗教の憑依文化』（九州大学出版会、二〇〇三）、『縄文ルネサンス—現代社会が発見する新しい縄文』（平凡社、二〇一九）、『「物質性」の人類学—世界は物質の流れの中にある』（共編著、同成社、二〇一七）などがある。

人類学的観察のすすめ
——物質・モノ・世界

二〇二〇年十一月二十日 第一刷発行

著　者　古谷嘉章《ふるやよしあき》
発行者　野村亮
発行所　古小烏舎
（〒810・0022）
福岡県福岡市中央区薬院
二—一三—二三—八〇一
電　話　〇九二・七〇七・一八五五
ＦＡＸ　〇九二・七〇七・一八七五

装丁　藤村興晴（忘羊社）
印刷・製本　株式会社シナノパブリッシングプレス
落丁・乱丁の本はお取り替えします

ISBN978-4-910036-01-4　C0010